JACKIE SILBE

Bébés contents

De 12 à 24 mois

115 jeux pour amuser et stimuler votre bambin

PUBLIÉ CHEZ LE MÊME ÉDITEUR :

Collection *Bébés contents* : des jeux amusants pour stimuler le développement général de votre enfant :
Bébés contents de 0 à 12 mois
Bébés contents de 12 à 24 mois
Bébés contents de 24 à 36 mois

Collection *Bébés génies* : des jeux pour stimuler les capacités cérébrales de votre enfant :
Bébés génies de 0 à 12 mois
Bébés génies de 12 à 24 mois

Collection *Pas à Pas* : pour vous guider à chaque stade du développement de votre enfant :
Les enfants de 1 à 3 ans : Les tout-petits
Les enfants de 3 à 5 ans : l'âge préscolaire
Les enfants de 6 à 8 ans : les premières années d'école
Les enfants de 9 à 12 ans : Les préadolescents

Jackie Silberg

Bébés contents

De 12 à 24 mois

115 jeux pour amuser et stimuler votre bambin

Illustrations de Nancy Isabelle Labrie

Adaptation française d'Isabelle Allard

Guy Saint-Jean
ÉDITEUR

Catalogage avant publication de Bibliothèque et Archives nationales du Québec et Bibliothèque et Archives Canada

Silberg, Jackie, 1934-
Bébés contents, de 12 à 24 mois
Traduction de: Games to play with toddlers.
Comprend un index.
ISBN 978-2-89455-278-0
1. Jeux. 2. Jeux éducatifs. 3. Tout-petits. I. Titre. II. Titre: Bébés contents, de douze à vingt-quatre mois.
GV1203.S53714 2008 649'.5 C2008-941213-3

Nous reconnaissons l'aide financière du gouvernement du Canada par l'entremise du Programme d'Aide au Développement de l'Industrie de l'Édition (PADIÉ) ainsi que celle de la SODEC pour nos activités d'édition.

Patrimoine canadien Canadian Heritage Canada SODEC Québec

Gouvernement du Québec — Programme de crédit d'impôt pour l'édition de livres — Gestion SODEC

Publié originalement aux États-Unis par Gryphon House, Inc., 10726 Tucker Street, Beltsville MD 20705 sous le titre *Games to Play with Toddlers*.

Traduction : Isabelle Allard
Révision : Jeanne Lacroix
Conception graphique : Christiane Séguin
Illustrations : Nancy Isabelle Labrie, www.lesmainsreveuses.blogspot.com

Dépôt légal – Bibliothèque et Archives nationales du Québec, Bibliothèque et Archives Canada, 2008
ISBN 978-2-89455-278-0

Distribution et diffusion
Amérique : Prologue
France : Volumen
Belgique : La Caravelle S.A.
Suisse : Transat S.A.

Guy Saint-Jean Éditeur inc.
3154, boul. Industriel, Laval (Québec) Canada. H7L 4P7. 450 663-1777.
Courriel : info@saint-jeanediteur.com • Web : www.saint-jeanediteur.com

Guy Saint-Jean Éditeur France
48 rue des Ponts, 78290 Croissy-sur-Seine, France. (1) 39 76 99 43.
Courriel : gsj.editeur@free.fr

Imprimé au Canada

Dédicace

Pour la joie qu'apportent les bébés dans nos vies.

Remerciements

Merci à Kathy Charner,
la plus merveilleuse éditrice que puisse souhaiter
une auteure. Grâce à elle, les mots prennent vie.

Merci aux membres de l'équipe de Gryphon House,
qui ont uni leurs efforts pour produire
ce magnifique ouvrage.

Table des matières

De 18 à 21 mois

De 21 à 24 mois

Mot de l'auteure

Qu'y a-t-il de plus précieux qu'un bambin qui explore son univers, laisse tomber des aliments sur le sol pour vérifier s'ils rebondissent, court d'un endroit à l'autre, écoute la même histoire ou la même chanson des centaines de fois sans se lasser ? Les tout-petits apprennent à partir de toutes ces expériences. Lorsqu'un enfant joue, il acquiert les habiletés auditives, linguistiques, cognitives, motrices, affectives et sociales essentielles à son développement.

Ce livre contient des activités ludiques novatrices et stimulantes grâce auxquelles votre enfant et vous pourrez vous amuser et vous épanouir ensemble. Vous y trouverez de merveilleuses suggestions pour divertir votre enfant et l'aider à apprendre, que ce soit en jouant avec des cubes et des jouets, en chuchotant des mots doux, en chantant ou en riant.

Les jeux proposés dans cet ouvrage ont été expérimentés par des parents et des bébés durant des années. Provenant de divers milieux et cultures, ils ont été soigneusement sélectionnés en fonction de chaque catégorie d'âge.

Je vous souhaite de bien en profiter avec votre enfant !

JACKIE SILBERG

Catégories d'âge

L'âge indiqué pour chacune des activités est approximatif. Souvenez-vous que chaque enfant se développe à son propre rythme. Fiez-vous à votre connaissance de votre enfant pour déterminer la pertinence d'une activité.

Les étapes du développement

Bien que le développement de chaque enfant soit unique, les habiletés qui suivent sont généralement acquises avant l'âge de deux ans.

Habiletés motrices, auditives et visuelles

Marche seul
Monte et descend les escaliers en tenant la main d'un adulte
Tient deux petits objets dans une main
Saute sur place
Donne un coup de pied dans un ballon
Lance une balle
Reconnaît les gens de son entourage
Gribouille sur du papier
Empile trois à six cubes
Tourne les poignées de porte
Trouve des objets de même couleur, forme et taille
Désigne des objets lointains à l'extérieur
Se tourne vers un membre de la famille en entendant son nom
Comprend et exécute des consignes simples
Remarque les sons produits par une horloge, une cloche, un sifflet
Bouge son corps au rythme de la musique
Exécute des consignes comportant deux étapes

Capacités linguistiques et cognitives

Babille avec expression
Identifie des illustrations dans un livre

Utilise des mots correctement
Nomme un objet lorsqu'on lui demande ce que c'est
Utilise vingt mots ou davantage
Nomme au moins vingt-cinq objets connus
Se fait comprendre à l'aide de gestes
Nomme des jouets
Se fait comprendre à l'aide de mots
Combine deux mots différents
Essaie de chanter
S'exprime par des phrases simples
Trouve des objets familiers
Met des objets dans des contenants
Tourne les pages d'un livre, deux ou trois à la fois
Montre du doigt les illustrations dans un livre
Se souvient de l'emplacement des objets
Attire un jouet vers lui à l'aide d'une ficelle ou d'un bâton

Image de soi
Veut capter l'attention
Désigne les parties de son corps lorsqu'on les nomme
Insiste pour s'alimenter lui-même
Nomme les parties du corps d'une poupée
Revendique des objets comme les siens
Parle de lui-même en utilisant son nom
Enfile des chaussettes et des mitaines
Mange à l'aide d'une cuillère
Boit dans une tasse
Essaie de se laver
Offre un jouet mais refuse de le lâcher
Joue seul aux côtés d'un autre enfant
Aime les promenades à pied de courte durée
Demande de la nourriture ou de l'eau

De 12 à 15 mois

Les voitures

La première étape de l'apprentissage des couleurs est l'association de couleurs similaires.

• Asseyez-vous par terre avec votre enfant. Faites avancer une petite voiture rouge ou bleue devant lui.

• Après qu'il a joué quelques instants avec la voiture, ajoutez-en une autre de couleur différente.

• Prenez deux feuilles de papier de la même couleur que les voitures. Étalez les deux feuilles sur le sol et posez chaque voiture sur celle de la même couleur.

• Prenez une des voitures et demandez à votre enfant de la remettre sur la feuille de même couleur. Nommez toujours la couleur dont vous parlez. La répétition de ce jeu encourage les habiletés d'association.

* * *

Cette activité favorise :

La reconnaissance des couleurs

De 12 à 15 mois

La promenade des couleurs

• Choisissez un jouet d'une couleur particulière. Baladez-vous dans la maison avec votre bambin en emportant ce jouet.

• Dans chaque pièce, essayez de trouver un ou deux objets de la même couleur que le jouet.

• Décrivez ces objets « La cravate jaune de papa est de la même couleur que ton ballon jaune » ou « La blouse bleue de maman est de la même couleur que ton cube bleu ».

• Une variante de ce jeu consiste à transporter un panier à linge pour recueillir les jouets et objets de la même couleur.

* * *

Cette activité favorise :
La reconnaissance des couleurs

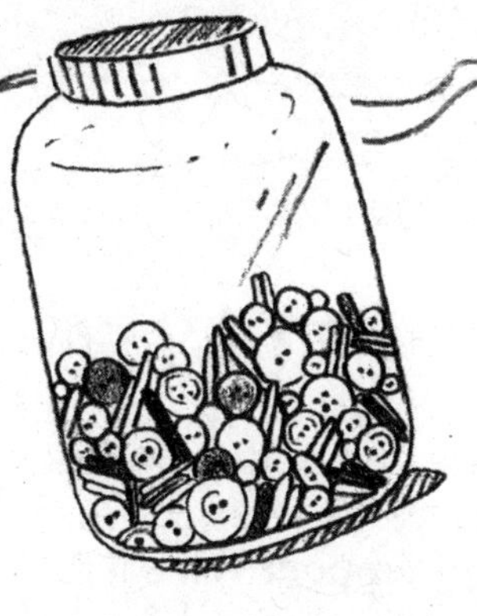

De 12 à 15 mois

Cha-cha-cha !

• Déposez des billes ou d'autres objets qui font du bruit en s'entrechoquant dans une boîte de métal.

• Fixez le couvercle solidement à l'aide de ruban adhésif, en vous assurant qu'il n'y a aucun bord coupant.

• Donnez la boîte à votre enfant et encouragez-le à la secouer pendant que vous chantez avec lui.

• Chantez des airs qu'il connaît, comme *Maman, les petits bateaux* ou *Pirouette, cacahuète*.

• Ou encore, répétez d'une voix chantante « Un, deux, cha-cha-cha ! »

• Montrez-lui comment secouer la boîte lorsque vous dites « cha-cha-cha ».

• Recommencez à quelques reprises. Bientôt, votre tout-petit comprendra à quel moment secouer la boîte.

Cette activité favorise :
L'éveil musical

De 12 à 15 mois

Les voyelles

• Regardez votre enfant dans les yeux en prononçant différentes voyelles. Répétez chaque voyelle à plusieurs reprises, puis arrêtez pour voir s'il tente de vous imiter.

• Prononcez les voyelles avec différentes intonations. Dites-les d'une voix aiguë et d'une voix grave. Dites-les rapidement, puis lentement.

• Combinez deux voyelles « e, e, e, a, a, a. »

• Inventez des mélodies pour accompagner ces sons de voyelles.

• Plus vous jouez avec les sons, plus votre enfant aimera entendre les sons qu'il émet lui-même.

• Il s'agit du premier pas vers une attitude positive envers les mots et la lecture.

* * *

Cette activité favorise :

La reconnaissance des sons

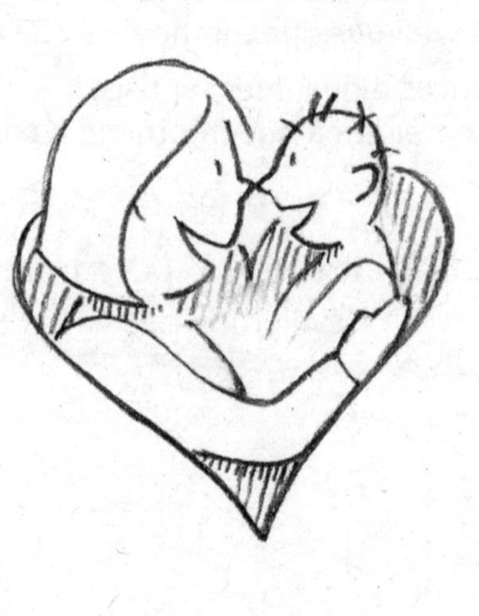

De 12 à 15 mois

Paroles

- Quand votre enfant commence à parler, répétez les sons qu'il émet.
- En modifiant vos inflexions de voix, vous stimulerez le développement de ses capacités langagières.
- Tout en l'habillant, décrivez vos actions au moyen de phrases simples de trois ou quatre mots.
- Par exemple, en changeant sa couche, dites-lui « Je change ta couche » ou « Voilà une couche propre ».
- Modifiez le rythme de vos phrases. Par exemple, vous pouvez dire « Mon petit bébé d'amour ! » rapidement, puis lentement, d'une voix forte, puis d'une voix douce, ou en adoptant un rythme syncopé.

En répétant les paroles de votre enfant et en ajoutant un mot ou deux de votre cru, vous l'aiderez à accroître ses compétences langagières.

* * *

Cette activité favorise :
Le développement du langage

De
12
à
15
mois

Les odeurs

*Les bébés ont un sens de l'odorat
entièrement développé dès la naissance.
Les souvenirs sont parfois associés à des odeurs.
Jouez au jeu des odeurs avec votre tout-petit. Trouvez
différents objets pourvus d'un parfum facilement
reconnaissable, comme les fleurs ou le gazon.
La cuisine est un endroit rempli d'odeurs
merveilleuses, comme celles des épices.*

• Dites à votre enfant « Allons sentir les fleurs. »
Approchez une fleur de son nez
et montrez-lui comment la renifler.

• Réagissez vous-même à cette odeur
en vous exclamant « Oh, comme ça sent bon ! »

• Après avoir humé deux objets, tels un bâton
de cannelle et une fleur, posez-les sur la table.
Demandez à votre enfant de vous montrer la fleur.
Aidez-le s'il n'y arrive pas, puis respirez-la ensemble.

• Faites de même avec la cannelle.

• Profitez des différentes saisons pour aller
sentir des odeurs à l'extérieur.

* * *

Cette activité favorise :

Les facultés olfactives

De 12 à 15 mois

Le petit train

• Trouvez quelques boîtes suffisamment grandes pour contenir un ourson ou un autre animal en peluche.

• Reliez les boîtes ensemble à l'aide de ruban adhésif ou de ficelle.

• Pendant que votre enfant vous regarde, demandez à son ourson en peluche s'il veut faire une balade en train.

• Suggérez à votre enfant de mettre l'ourson dans le train.

• Demandez-lui s'il veut que d'autres animaux en peluche ou poupées fassent partie du voyage.

• Donnez-lui la ficelle pour qu'il tire le train.

* * *

Cette activité favorise :
La coordination

De 12 à 15 mois

Dedans, dehors

• Trouvez une boîte pourvue de compartiments individuels.

• Conservez les rouleaux d'essuie-tout et les bouteilles de plastique vides.

• Remettez des tubes de carton et des bouteilles de plastique à votre enfant pour qu'il s'amuse à les introduire dans les compartiments, puis à les ressortir.

• Demandez-lui de mettre le tube « dedans », puis « dehors ».

Cette activité fascine les bambins durant de longues périodes.

* * *

Cette activité favorise :

La coordination main-œil

Cubes de papier

De 12 à 15 mois

• Pour cette activité, vous aurez besoin de plusieurs petits sacs de papier brun et de beaucoup de papier journal.

• Demandez à votre enfant de vous aider à chiffonner du papier journal et à le mettre dans les sacs.

• Lorsque les sacs sont pleins, refermez-les à l'aide de ruban adhésif ou de ficelle.

• Vous disposez maintenant de cubes légers, faciles à manipuler par votre bambin.

• Proposez-lui différentes expériences avec ces cubes de papier. Il peut

- les empiler;
- les placer les uns à la suite des autres;
- les disposer en cercle;
- les lancer;
- y dessiner des visages pour les transformer en marionnettes.

* * *

Cette activité favorise :
La créativité

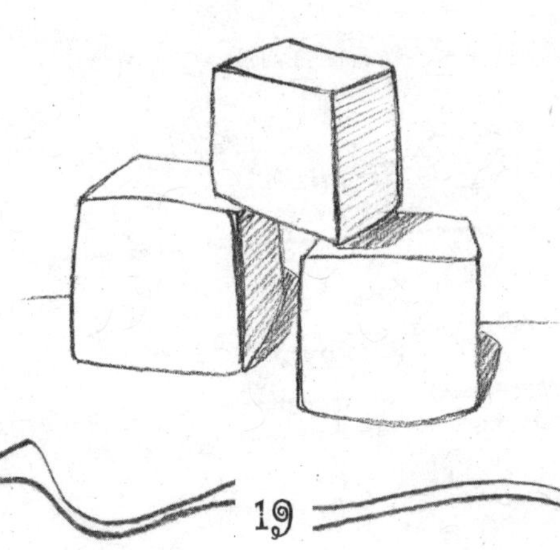

De
12
à
15
mois

Cubes de plastique

Les contenants de plastique de tailles diverses sont légers et faciles à manipuler, et constituent des cubes tout indiqués pour les tout-petits.

• Votre enfant s'amusera à les emboîter les uns dans les autres.

• Vous pouvez également y mettre les couvercles et l'encourager à les empiler.

• À force d'essais et d'erreurs, il constatera vite que les plus gros doivent aller au-dessous.

• Un autre défi sera d'apprendre à enlever et remettre les couvercles sur les contenants.

• Pendant que vous jouez avec lui, abordez des concepts comme la notion de nombre (un contenant, deux contenants, etc.).

* * *

Cette activité favorise :

La motricité fine

De
12
à
15
mois

Les boîtes

Les boîtes peuvent procurer des heures de plaisir et d'apprentissage aux jeunes enfants.

• Rassemblez plusieurs contenants de plastique et petits jouets. Donnez une grande boîte de carton à votre enfant. Encouragez-le à y mettre les objets et à la renverser pour les en faire sortir.

• Découpez des formes (cercle, carré, triangle) sur le dessus d'une boîte. Remettez ces formes à votre enfant et voyez s'il parvient à les faire entrer dans la boîte par les trous correspondants.

• Donnez-lui des boîtes de différentes tailles et aidez-le à les empiler. Il verra bientôt qu'il est préférable de placer les plus grandes au bas de la pile. Montrez-lui aussi comment les emboîter les unes dans les autres.

* * *

Cette activité favorise :
La reconnaissance des formes

De
12
à
15
mois

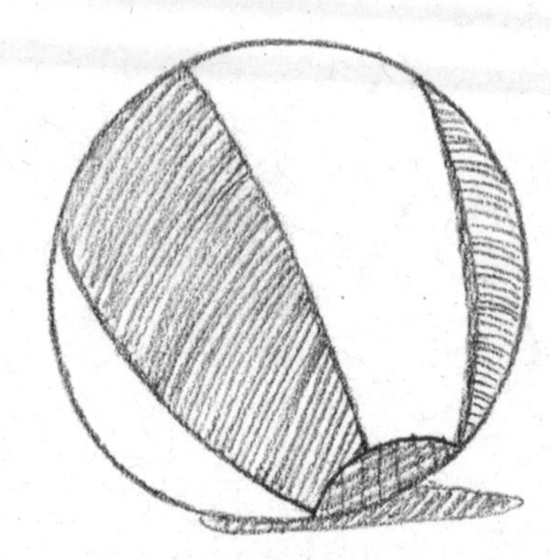

Le ballon de plage

• Prenez un ballon de plage aux couleurs vives.

• Faites-le rouler en direction de votre tout-petit.

• Placez un animal en peluche sur le ballon et faites rouler ce dernier dans un mouvement de va-et-vient.

• Demandez à votre enfant s'il veut s'asseoir sur le ballon.

• S'il est d'accord, placez-le sur le ballon en le tenant fermement.

• Tout en roulant le ballon dans différentes directions, dites « En avant, en arrière », « À gauche, à droite », etc.

* * *

Cette activité favorise :
Le sens de l'équilibre

Le plateau tournant

De 12 à 15 mois

• Pour ce jeu, il vous faut un plateau tournant comme on en utilise dans la cuisine.

• Les jeunes enfants adorent faire tourner ces plateaux pivotants et observer leur mouvement.

• Placez un petit objet sur le plateau et faites-le tourner. Observez ce qui arrive à l'objet.

• Fixez un petit jouet au plateau avec du ruban adhésif. Dites à votre enfant que le jouet va faire un tour de manège.

* * *

Cette activité favorise :
Les facultés d'observation

De 12 à 15 mois

Les ficelles

Lorsque votre enfant est assis dans sa chaise haute, il s'amuse peut-être avec des jouets. Il se peut aussi qu'il s'amuse à les jeter par terre.

• Attachez une ficelle à quelques jouets. Attachez l'autre extrémité de la ficelle au plateau de la chaise. Les ficelles permettront à votre enfant de jouer avec ses jouets sans qu'ils ne tombent sur le sol.

Remarque Assurez-vous que les ficelles ne sont pas assez longues pour présenter un risque d'étouffement.

• Votre bambin devra découvrir comment tirer les ficelles pour ramener les jouets vers lui.

Cette activité favorise :

La résolution de problèmes

De 12 à 15 mois

Déchiquetage

Les bambins adorent déchirer du papier. Voici un jeu amusant lorsque votre enfant est dans la cuisine et que vous pouvez le surveiller de près.

• Rassemblez de vieux magazines, du papier de soie, du papier d'emballage et du papier d'aluminium. Chacun d'eux procurera à votre tout-petit une expérience différente en fonction de sa texture et du son qu'il produit.

• Montrez-lui comment déchirer le papier et le déposer dans une boîte. Comme les enfants de cet âge mettent tout dans leur bouche, surveillez-le bien.

• Chiffonnez un morceau de papier en boule et lancez-le. Montrez à votre enfant comment vous imiter. S'il n'arrive pas à former une boule, faites-le pour lui et demandez-lui de la lancer.

* * *

Cette activité favorise :
La coordination

De
12
à
15
mois

Premiers casse-tête

• Choisissez des emporte-pièces dont la forme plaît à votre enfant.

• Appuyez un emporte-pièce sur une feuille de styromousse. Prenez une feuille différente pour chaque emporte-pièce.

• Découpez soigneusement le contour et retirez la forme en gardant le reste de la feuille intact. Donnez la forme à votre bambin et montrez-lui comment la replacer dans l'ouverture.

• Rassemblez les différentes formes et carrés de styromousse sur une table et laissez votre enfant se concentrer pour les associer.

• Une fois qu'il peut facilement remettre toutes les formes en place, essayez de découper plusieurs formes dans une seule grande feuille de styromousse.

* * *

Cette activité favorise :
La reconnaissance des formes

La boîte coucou

De 12 à 15 mois

• Pour ce jeu, il vous faut une boîte de carton suffisamment grande pour que votre enfant puisse y entrer en rampant.

• Découpez un trou sur le dessus, assez grand pour y passer la tête.

• Encouragez votre bambin à entrer dans la boîte.

• Jouez à faire coucou en vous plaçant à l'extérieur de la boîte de carton pendant qu'il est à l'intérieur. Votre enfant ou vous-même pouvez mettre la tête dans le trou en vous écriant « coucou ! »

• Suscitez l'anticipation en disant « Un, deux, trois... coucou ! »

• Avant de glisser la tête dans le trou, changez votre apparence. Faites une grimace, mettez-vous un foulard sur la tête ou autour du cou, portez des lunettes, etc. Cela rendra le jeu encore plus divertissant.

* * *

Cette activité favorise :
L'enjouement

De
12
à
15
mois

Rampe, marche

Lorsque les tout-petits commencent à marcher,
ils aiment toujours ramper parce que cela leur permet
d'atteindre leur but plus rapidement.
Ce jeu aidera votre bambin à s'exercer à marcher
tout en lui donnant l'occasion de ramper s'il le désire.

• Choisissez une chanson qu'il connaît.
Les petits aiment bien *J'ai perdu le do, Un éléphant* et *J'ai un beau château.*

• Chantez et marchez au rythme de la chanson, en tenant la main de votre enfant.
À la fin du premier couplet, rampez. Marchez et rampez en alternance tout au long de la chanson.

Votre enfant voudra probablement alterner souvent,
car ce jeu l'amusera beaucoup.

Cette activité favorise :

La coordination

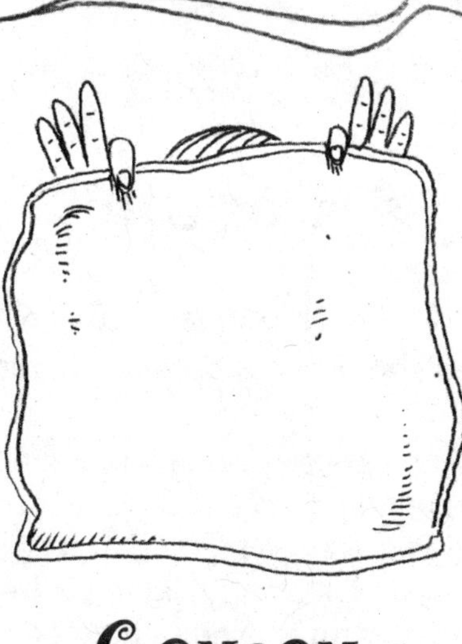

Coucou

Vous pouvez faire coucou de multiples manières :

• Couvrez-vous les yeux de vos mains.

• Placez les mains de votre enfant sur vos yeux.

• Tenez une couverture entre vous deux. Sortez la tête de côté, en haut et au-dessous.

• Cachez-vous derrière un jouet, une poupée, une serviette, une débarbouillette ou un gant de toilette.

• Couchez votre enfant dans son lit. Jetez une couverture légère sur lui, puis soulevez-la et abaissez-la en glissant la tête dessous.

* * *

Cette activité favorise :
La formation de liens affectifs

De
12
à
15
mois

La poupée

Voici un jeu à pratiquer dans la cuisine pendant que vous préparez le repas.

• Donnez une poupée ou un animal en peluche à votre enfant. Demandez-lui « Est-ce que (nom de la poupée) a faim ? Est-ce qu'elle veut faire dodo ? ». Donnez-lui des directives à exécuter avec sa poupée :

donne-lui un bisou;

fais-lui un câlin;

berce-la;

donne-lui du lait;

donne-lui un bain;

change sa couche...

• Votre bambin réagira à ces consignes. À mesure qu'il s'amusera à les exécuter, ses capacités d'écoute se développeront.

* * *

Cette activité favorise :
La compréhension des consignes

De
12
à
15
mois

Où est nounours ?

• Attachez l'extrémité d'une longue ficelle à un ourson en peluche et dissimulez-le dans un placard.

• Fermez la porte en laissant la ficelle dépasser. Laissez traîner la ficelle dans la pièce, en la faisant passer par-dessus ou sous divers meubles et objets.

• Demandez à votre enfant « Où est nounours ? »

• Donnez-lui l'autre extrémité de la ficelle et aidez-le à la suivre jusqu'à l'ourson.

• Il adorera ce jeu. Jouez-y de nouveau, mais cette fois, décrivez votre progression en suivant la ficelle « La ficelle est derrière la chaise », « La ficelle est sous le tapis », etc.

• Quand vous trouvez l'ourson, faites-lui un câlin en vous exclamant « Nounours, je t'ai trouvé ! »

* * *

Cette activité favorise :

La concentration

Le jeu du toucher

De 12 à 15 mois

Cette activité aidera votre bambin à découvrir son corps.

• Récitez-lui cette comptine

Touche ta tête

Touche ta tête

Un, deux, trois

Touche ta tête !

• Poursuivez en nommant différentes parties du corps.

• Une fois qu'il peut reconnaître et toucher sans peine deux ou trois parties de son corps, donnez-lui un ourson en peluche et demandez-lui de toucher les mêmes parties sur son animal.

• S'il réussit ce jeu avec l'ourson, cela signifie qu'il a compris et intégré ces notions.

⁂

Cette activité favorise :

La conscience du corps

Les parties du corps

Lorsque votre enfant commence à nommer les parties de son corps, proposez-lui ce jeu.

• Touchez vos oreilles en disant « Je touche mes oreilles. Peux-tu toucher tes oreilles ? »

• Laissez-lui le temps de reproduire vos gestes, et répétez la question au besoin. S'il réussit à vous imiter, utilisez des mots qu'il connaît moins, comme les coudes, le menton, les chevilles, le dos, etc. Encouragez-le à répéter ces mots.

• S'il touche une nouvelle partie de son corps, nommez-la en l'imitant.

• Les chansons et les comptines qui nomment les parties du corps, telles que *Panse de son*, *Alouette*, *Savez-vous planter les choux*, *Mon merle* et *J'ai deux yeux* viendront consolider cet apprentissage.

* * *

Cette activité favorise :

Le développement du langage

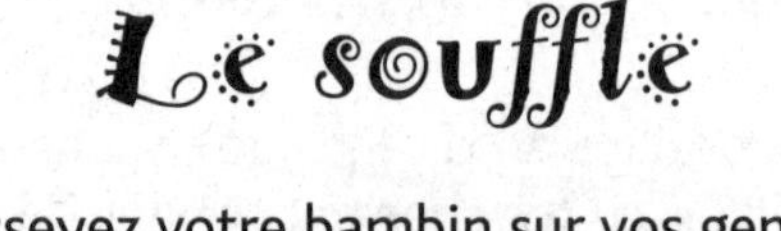

- Asseyez votre bambin sur vos genoux et posez votre doigt sur ses lèvres. En touchant sa bouche, dites « lèvres ».
- Prenez sa main et placez ses doigts sur vos lèvres en disant « Les lèvres de maman. »
- Arrondissez les lèvres pour souffler légèrement sur la paume de votre enfant.
- Déposez du papier de soie chiffonné sur une table, et montrez-lui comment vous pouvez le déplacer en soufflant.
- Encouragez-le à vous imiter.
- Comptez avant de souffler « Un, deux, trois... souffle ! »

* * *

Cette activité favorise :

Les facultés d'observation

Balle et ballon

De
12
à
15
mois

Voici un jeu à pratiquer à l'extérieur.

• Prenez une balle et deux ballons (un de taille moyenne et un plus gros). Alignez-les.

• Montrez-les à votre enfant et faites-les rouler sur le sol. Demandez-lui d'aller les chercher.

• Montrez-lui la balle. Placez votre pouce et votre index en forme de cercle en disant « Regarde ! C'est comme la balle ! »

• Montrez-lui le petit ballon. Formez un cercle en plaçant l'extrémité de vos pouces et de vos index ensemble, et dites « Comme le ballon. »

• Montrez-lui le gros ballon. Formez un grand cercle en plaçant vos mains au-dessus de votre tête, et dites « Comme le gros ballon. »

• Faites rouler la balle et les ballons en direction de votre enfant. Demandez-lui de les attraper.

* * *

Cette activité favorise :
La découverte des tailles

De 12 à 15 mois

Les cris d'animaux

Les bambins adorent reproduire les cris des animaux.

• Rassemblez plusieurs animaux en plastique. Montrez-en un à votre enfant et imitez son cri.

• Dites-lui de répéter après vous.

• Montrez-lui une photo d'animal. Demandez-lui de trouver le jouet correspondant et d'imiter le cri de cet animal.

• Feuilletez des magazines avec lui pour découvrir des photos d'animaux. Découpez-les et collez-les sur du carton pour fabriquer un livre sur les animaux.

* * *

Cette activité favorise :
L'imagination

Les tubes

• Montrez à votre bambin toutes les choses qu'on peut faire avec le tube de carton d'un rouleau d'essuie-tout.

• Placez-le devant votre bouche comme si c'était un mégaphone.

• Utilisez-le comme baguette pour diriger une fanfare.

• Faites semblant qu'il s'agit d'un télescope.

* * *

Cette activité favorise :

L'imagination

De 15 à 18 mois

Cubes jetables

• Fabriquez des cubes jetables à l'aide de berlingots de lait.

• Aplatissez la partie supérieure en la repliant et en la collant, puis recouvrez les berlingots de papier collant ou de papier de bricolage.

• Laissez votre enfant décorer les cubes avec des crayons de cire ou des autocollants.

• Jouez à empiler les cubes avec lui. Félicitez-le chaque fois qu'il réussit à poser un cube sur un autre. Le plus amusant est de démolir les tours, bien entendu !

L'avantage de ces cubes est que vous pouvez les jeter une fois que l'enfant se désintéresse du jeu.

* * *

Cette activité favorise :

La motricité fine

De 15 à 18 mois

Jeu de poches

Les poches ou petits sacs remplis de sable, de pois ou de fèves sont d'excellents jouets pour les tout-petits. Doux et sans danger, ils stimulent leur imagination.

• Imaginez diverses activités avec ces accessoires. Votre enfant peut

les lancer;

les empiler;

les poser sur sa tête;

les mettre dans des contenants...

• Vous pouvez également les poser sur son dos ou son ventre, ou encore sur chacun de ses pieds quand il est couché sur le dos, les pieds en l'air.

* * *

Cette activité favorise :
La créativité

De 15 à 18 mois

À pas de loup

• Marchez à pas de loup avec votre bambin. Montrez-lui comment avancer silencieusement, sur la pointe des pieds.

• Disposez plusieurs jouets sur le plancher. Demandez à votre enfant de s'approcher d'un jouet sur la pointe des pieds, puis de le réveiller en tapant des mains et en s'exclamant « Réveille-toi, paresseux ! »

• Placez des animaux en peluche sur le sol. Dites-lui de s'approcher doucement et de les tapoter sur la tête pour les réveiller. Écriez-vous en chœur « Réveille-toi, paresseux ! »

• Faites semblant d'être l'un des animaux en peluche. Dites à votre tout-petit de s'approcher silencieusement et de vous réveiller.

• Ce jeu est très rigolo et votre enfant voudra y jouer à maintes reprises.

* * *

Cette activité favorise :

Les capacités auditives

On roule !

Votre enfant est constamment en train de bouger, ramper, grimper, marcher et courir.

• Montrez-lui une autre façon de se déplacer en roulant sur lui-même. Couchez-vous par terre et roulez d'un côté à l'autre de la pièce. Il sera enchanté et voudra vous imiter.

• Proposez-lui ce jeu : couchez-vous tous les deux côte à côte. Comptez jusqu'à trois, puis dites d'une voix forte « On roule ! » Commencez alors à rouler vers l'autre bout de la pièce.

• Dites-lui « Je vais t'attraper ! », puis roulez dans sa direction.

• Préparez-vous à jouer souvent à ce jeu !

• Chaque fois que vous pratiquez une activité avec votre enfant, exécutez-la des deux côtés. Bien que les enfants de cet âge soient trop jeunes pour comprendre les notions de gauche et de droite, ils peuvent reconnaître que leur corps a deux côtés.

* * *

Cette activité favorise :
La coordination

De **15** à **18** mois

Cot, cot, cot !

Voici un jeu de doigts qui développe la motricité fine et est aussi divertissant pour l'enfant que pour vous.

• Asseyez votre bambin sur vos genoux et faites bouger ses doigts pour mimer la comptine suivante

Cot, cot, cot !

Bonjour, madame la poule !

Combien de poussins vous avez ?

J'en ai dix ! (levez les deux mains de l'enfant)

Quatre qui sont jaunes (repliez quatre doigts d'une main, en gardant le pouce levé)

Quatre qui sont bruns (faites de même avec son autre main)

Et deux qui sont tachetés (touchez ses deux pouces)

Ce sont mes préférés ! (donnez un baiser sur chaque pouce)

Cette activité favorise :

La motricité fine

De 15 à 18 mois

La petite araignée

• Ce jeu de doigts vous procurera bien du plaisir avec votre tout-petit. Faites grimper vos doigts le long de ses bras et de ses jambes comme s'il s'agissait d'une araignée, tout en répétant cette comptine

La petite araignée monte sur la gouttière...
(faites monter lentement vos doigts sur son bras)

Oups ! la petite araignée est tombée !
(faites-les vite redescendre le long de son bras)

La petite araignée dégringole par terre...
(continuez le long de sa jambe)

La petite araignée atterrit sur tes pieds !
(arrêtez sur son pied)

* * *

Cette activité favorise :

L'enjouement

De
15
à
18
mois

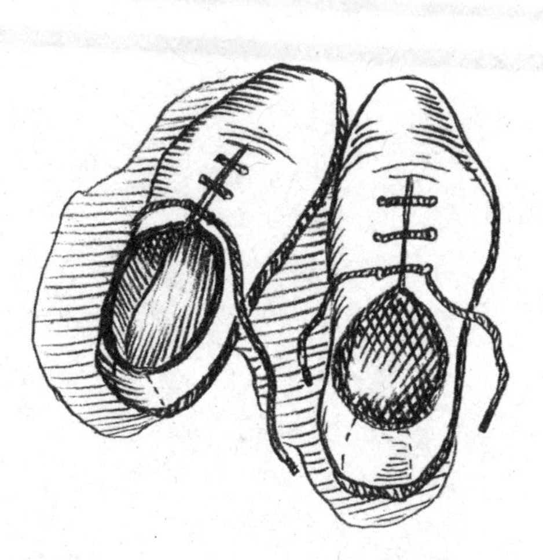

Les chaussures

• Prenez plusieurs paires de chaussures appartenant aux membres de la famille et placez-les en tas sur le sol.

• En les déposant par terre, dites à votre enfant à qui appartient chaque paire.

• Il reconnaîtra ses propres souliers et réagira probablement en les apercevant.

• Demandez-lui de vous apporter une paire « Apporte-moi les souliers de papa. »

• S'il ne comprend pas, approchez-vous de la pile et prenez l'une des chaussures en question.

• Cette activité développe les capacités cognitives tout en permettant d'aborder les différences de taille.

* * *

Cette activité favorise :

Les capacités cognitives

Casse-tête maison

De 15 à 18 mois

• Remettez à votre enfant une grande feuille de papier de bricolage ou de papier épais.

• Encouragez-le à dessiner sur le papier avec un crayon de cire.

• Couvrez son dessin de papier collant transparent.

• Découpez la feuille en deux ou trois morceaux, en fonction du développement de votre enfant.

• Donnez-lui le casse-tête et aidez-le à assembler les pièces.

• Fabriquez des casse-tête constitués de morceaux de sandwich ou de tranches de fromage.

* * *

Cette activité favorise :
La résolution de problèmes

De 15 à 18 mois

Les dessins

• Collez une feuille de papier sur une table ou le plateau de la chaise haute de votre enfant. Montrez-lui comment dessiner avec un crayon de cire.

• Donnez-lui un gros crayon de cire qu'il peut tenir facilement dans sa main.

• Laissez-le dessiner à sa guise. Chaque fois que vous lui donnez un crayon de cire, nommez sa couleur.

• Dessinez à tour de rôle. Tracez des lignes sinueuses, puis demandez-lui de tracer des lignes à son tour.

À mesure qu'il grandira, il tentera de reproduire vos dessins.

* * *

Cette activité favorise :
La motricité fine

De 15 à 18 mois

Livre d'images

Les enfants de cet âge accroissent leur vocabulaire chaque jour. Parfois, ils prononcent les mots à haute voix, parfois ils les formulent dans leur tête, mais ils en comprennent un grand nombre.

• Choisissez plusieurs mots connus de votre bambin et trouvez des photos pour les illustrer (auto, chien, etc.).

• Montrez-lui les photos et posez-lui des questions à leur sujet.

• Collez chaque photo sur une feuille de papier et assemblez-les pour former un petit livre.

• Votre enfant se plaira à feuilleter ce livre, seul ou avec vous.

✣ ✣ ✣

Cette activité favorise :
Le développement du langage

De 15 à 18 mois

La boîte aux lettres

• Au lieu de vous débarrasser de la publicité importune que vous recevez par la poste, conservez ce courrier pour votre enfant.

• Fabriquez-lui une boîte aux lettres spéciale pour son courrier.

• Ouvrir les enveloppes constituera un défi pour lui, tout en lui permettant d'exercer sa motricité fine.

• Il s'amusera à déplier le papier contenu dans l'enveloppe. Admirer les belles photos et en parler avec vous lui procurera une merveilleuse occasion d'accroître son vocabulaire.

• Les tout-petits trouvent souvent des photos qui leur plaisent et qu'ils désirent conserver.

* * *

Cette activité favorise :

Le développement du langage et de la motricité fine

Voici ce que je vois

De 15 à 18 mois

• Ce jeu aide les bambins à observer des choses par la fenêtre de la voiture. Récitez cette comptine

Je regarde par la fenêtre,

je regarde par la fenêtre,

voici ce que je vois !

Je vois...

• Nommez alors un objet « Je vois une voiture », puis demandez à l'enfant « Vois-tu la voiture ? »

• Le but du jeu est de diriger l'attention de votre enfant vers des objets qu'il peut apercevoir par la fenêtre de la voiture. Répétez la comptine en nommant un autre objet (la rue, des gens, des animaux, des couleurs, etc.).

* * *

Cette activité favorise :

Le développement du langage

De
15
à
18
mois

La fenêtre

• Percez deux trous sur le côté d'une boîte, telle qu'une boîte à chaussures.

• De l'autre côté, découpez une « fenêtre ».

• Montrez à votre bambin comment mettre ses yeux devant les deux trous.

• Pendant qu'il regarde par ces orifices, placez-vous devant la « fenêtre ». Quel plaisir il aura en apercevant votre visage !

• Insérez votre doigt dans la fenêtre et agitez-le.

• Bientôt, il observera de cette manière divers objets qu'il fera entrer par la fenêtre de l'autre côté de la boîte.

* * *

Cette activité favorise :

L'enjouement

De
15
à
18
mois

Vroum, vroum !

• Étendez une serviette de plage sur le sol.

• Asseyez votre enfant sur la serviette.
Tirez-la doucement pour le faire glisser sur le plancher.

• Faites semblant qu'il est à bord d'un véhicule.
S'il s'agit d'une voiture, faites un bruit d'automobile (vroum, vroum). Si c'est un avion, imitez le bruit d'un avion. Pour un train, dites « tchou, tchou ! ».

• Même s'il ne comprend pas la signification des mots, il s'amusera à reproduire les sons.

* * *

Cette activité favorise :
L'apprentissage de l'équilibre

De 15 à 18 mois

Jeu de partage

• Asseyez-vous par terre devant votre enfant.

• Donnez-lui un objet, tel qu'un de ses jouets favoris, en disant « C'est pour toi. »

• Après l'avoir laissé jouer quelques instants, demandez-lui « Veux-tu me le redonner ? »

• Une fois qu'il vous l'aura redonné, recommencez le jeu.

* * *

Cette activité favorise :
L'apprentissage du partage

Devant, derrière

De 15 à 18 mois

• Asseyez-vous par terre avec votre bambin.

• Placez une boîte devant vous.

• Prenez un animal en peluche et placez-le à côté de la boîte, en expliquant ce que vous faites « Je mets le nounours à côté de la boîte. »

• Ensuite, demandez à votre enfant de vous donner l'animal qui est à côté de la boîte.

• Poursuivez le jeu en plaçant l'animal dans différents endroits devant la boîte, derrière, dessus, dessous, dedans...

• Donnez-lui ensuite l'animal en peluche et demandez-lui de le mettre à différents endroits relativement à la boîte.

• Lorsqu'il peut facilement suivre vos indications, ajoutez des boîtes pour rendre le jeu plus difficile.

* * *

Cette activité favorise :
La compréhension des concepts spatiaux

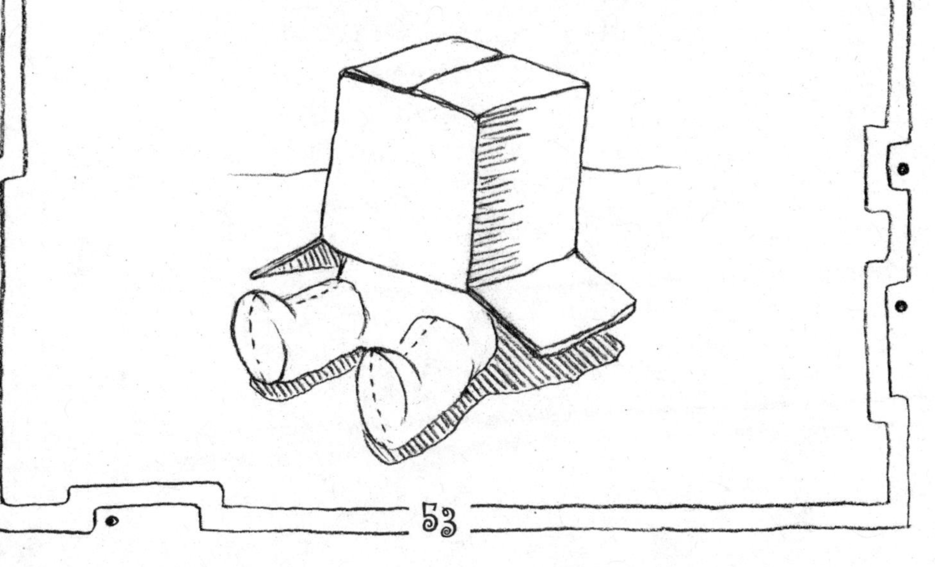

De 15 à 18 mois

Les soins

Les enfants de cet âge ont du mal à exécuter des consignes parce qu'ils doivent écouter tout en accomplissant une action. Une bonne façon de s'exercer est de jouer avec une poupée.

- Donnez une poupée ou un animal en peluche à votre enfant et demandez-lui d'identifier les parties de son corps « Où est la tête de la poupée ? Ses oreilles ? Ses jambes ? Son ventre ? », etc.
- Suggérez-lui des actions à effectuer avec la poupée :

brosse ses cheveux;

chatouille son ventre;

lave son visage;

brosse ses dents...

- Votre enfant améliorera ses capacités d'écoute tout en s'exerçant à reproduire les soins que vous lui accordez.

* * *

Cette activité favorise :
L'écoute

De
15
à
18
mois

Le sac à main

Certains des jouets les plus appréciés des tout-petits se trouvent déjà dans votre maison. Les bambins adorent fouiller dans les sacs à main.

• Prenez un sac à main vide et mettez-y des objets comme des clés, un peigne, des mouchoirs, des lunettes (sans verres) et un porte-monnaie.

• Demandez à votre enfant de trouver un objet dans le sac. Par exemple « Peux-tu me donner les clés de la voiture ? »

• Félicitez-le chaque fois qu'il trouve l'objet demandé.

⁂

Cette activité favorise :
Les capacités cognitives

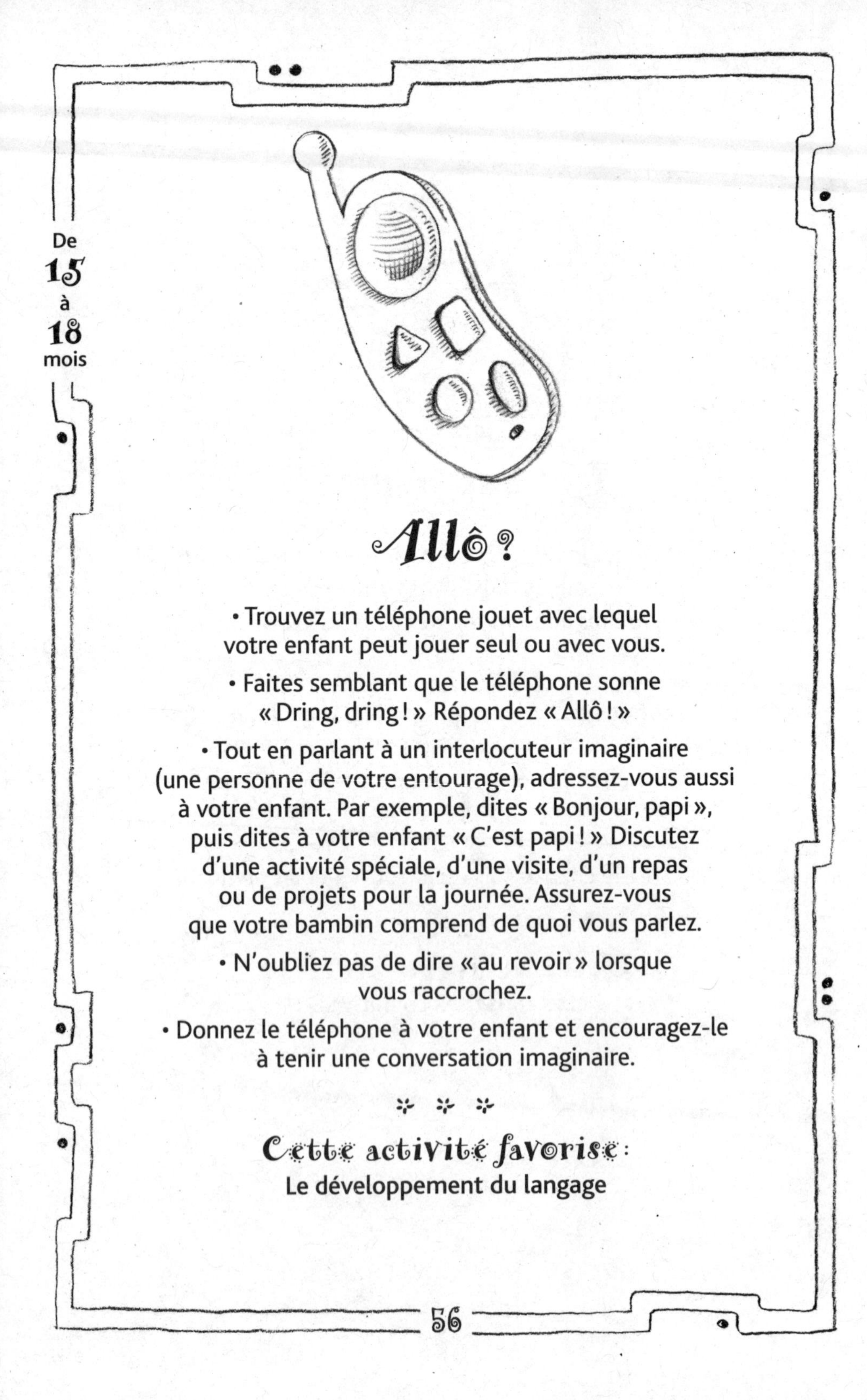

De
15
à
18
mois

Allô ?

• Trouvez un téléphone jouet avec lequel votre enfant peut jouer seul ou avec vous.

• Faites semblant que le téléphone sonne « Dring, dring ! » Répondez « Allô ! »

• Tout en parlant à un interlocuteur imaginaire (une personne de votre entourage), adressez-vous aussi à votre enfant. Par exemple, dites « Bonjour, papi », puis dites à votre enfant « C'est papi ! » Discutez d'une activité spéciale, d'une visite, d'un repas ou de projets pour la journée. Assurez-vous que votre bambin comprend de quoi vous parlez.

• N'oubliez pas de dire « au revoir » lorsque vous raccrochez.

• Donnez le téléphone à votre enfant et encouragez-le à tenir une conversation imaginaire.

* * *

Cette activité favorise :
Le développement du langage

Les marionnettes

De 15 à 18 mois

Vous pouvez pratiquer toutes sortes de jeux avec des marionnettes. À la suite de ces jeux, vous remarquerez probablement que votre enfant y joue seul.

• Enfilez votre main dans la marionnette et parlez à votre bambin en modifiant votre voix. Posez-lui des questions « Comment t'appelles-tu ? », « Veux-tu jouer avec moi ? », etc.

• Donnez-lui ensuite la marionnette et suggérez-lui des activités « Peux-tu coucher la marionnette ? », « Peux-tu la faire sauter dans les airs ? », etc.

Cette activité favorise :

Le développement du langage

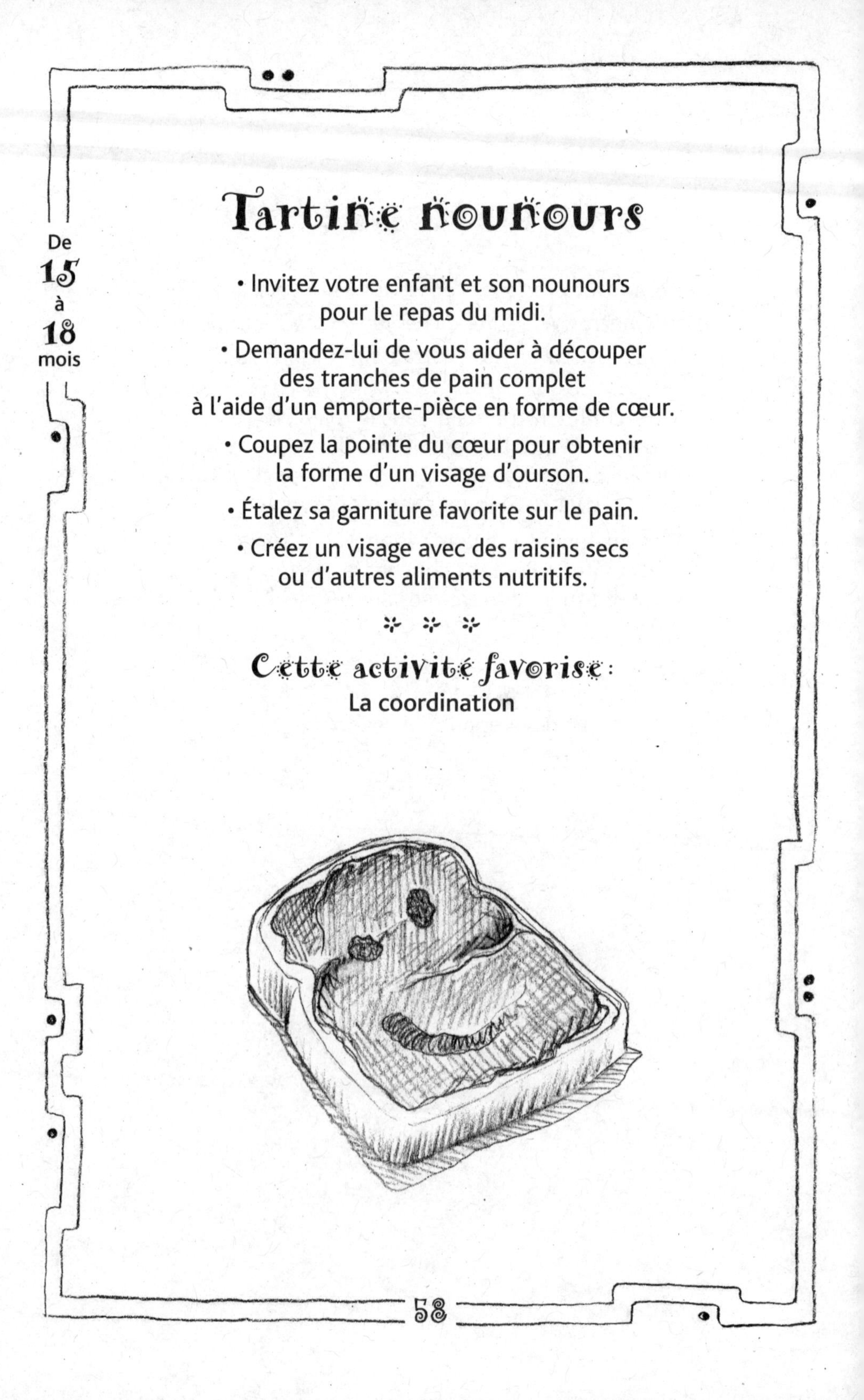

De 15 à 18 mois

Tartine nounours

• Invitez votre enfant et son nounours pour le repas du midi.

• Demandez-lui de vous aider à découper des tranches de pain complet à l'aide d'un emporte-pièce en forme de cœur.

• Coupez la pointe du cœur pour obtenir la forme d'un visage d'ourson.

• Étalez sa garniture favorite sur le pain.

• Créez un visage avec des raisins secs ou d'autres aliments nutritifs.

* * *

Cette activité favorise :

La coordination

De 15 à 18 mois

La collation

• Récitez ce petit poème à votre bambin

Une collation, une collation

comme c'est bon, comme c'est bon !

Des fruits et des légumes

du lait et des muffins !

• Proposez-lui de déguster l'un des aliments mentionnés dans le poème.

• Vous pouvez aussi réciter la comptine suivante et manger l'un des fruits

Pomme, poire, abricot,

il y en a une, il y en a une,

pomme, poire, abricot,

il y en a une de trop

qui s'appelle Marie-Margot !

* * *

Cette activité favorise :
L'écoute

De 15 à 18 mois

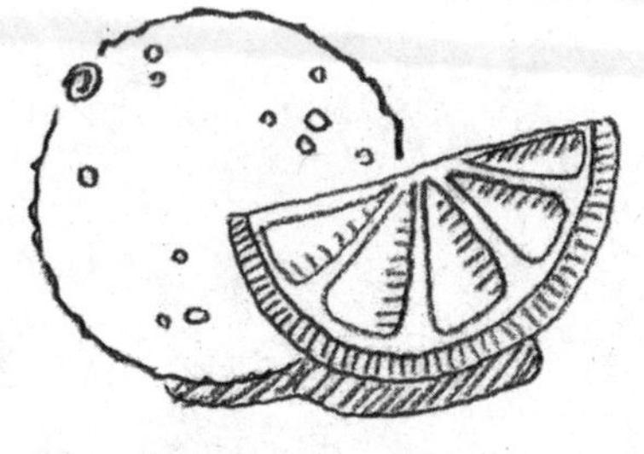

L'orange

• Asseyez-vous à table avec votre enfant et proposez-lui une activité amusante.

• Prenez une orange. Parlez de son nom et de sa couleur.

• Donnez l'orange à votre bambin. Demandez-lui de la sentir et de la palper. Décrivez l'odeur et la texture de l'orange.

• Pelez l'orange et séparez-la en quartiers. Montrez-les à votre enfant. Donnez-lui un quartier en lui faisant remarquer la membrane et les pépins.

• Mangez un quartier et demandez-lui s'il veut y goûter.

• Vous pouvez aussi lui chanter la comptine suivante

C'est demain dimanche,
la fête à ma tante
Elle balaie sa chambre
avec sa robe blanche.
Elle trouve une orange,
l'épluche et la mange.
Oh ! la grande gourmande !

* * *

Cette activité favorise :
Les facultés d'observation

Les tâches

En aidant votre enfant à imiter ce qu'il observe autour de lui, vous le préparez à des activités plus sérieuses lorsqu'il sera plus grand.

• Trouvez des photos représentant des tâches reliées à la cuisine, comme le lavage de la vaisselle, la préparation d'un repas, la consommation de nourriture, le balayage, etc.

• Montrez les photos à votre tout-petit en les décrivant.

• Choisissez l'une des photos et posez-lui des questions. Si son vocabulaire est limité, posez des questions auxquelles il peut répondre par un seul mot. Par exemple « Est-ce que papa balaie le plancher ? »

• Ensuite, accomplissez la tâche illustrée. « Maintenant, papa va balayer le plancher. » Demandez-lui de vous aider.

* * *

Cette activité favorise :
L'imitation

De
15
à
18
mois

Bonne nuit

• Chantez la berceuse de Brahms à votre bambin pour l'endormir.

Bonne nuit

cher trésor

ferme tes yeux et dors.

Laisse ta tête s'envoler

au creux de ton oreiller.

Un beau rêve passera

et tu l'attraperas.

Un beau rêve passera

et tu le retiendras.

• Vous pourriez aussi lui chanter *Fais dodo*, *Au clair de la lune*, *Une chanson douce*, etc. L'important est de lui chanter la même chose chaque soir. Les enfants apprécient l'uniformité et le caractère prévisible des habitudes.

* * *

Cette activité favorise :

La formation de liens affectifs

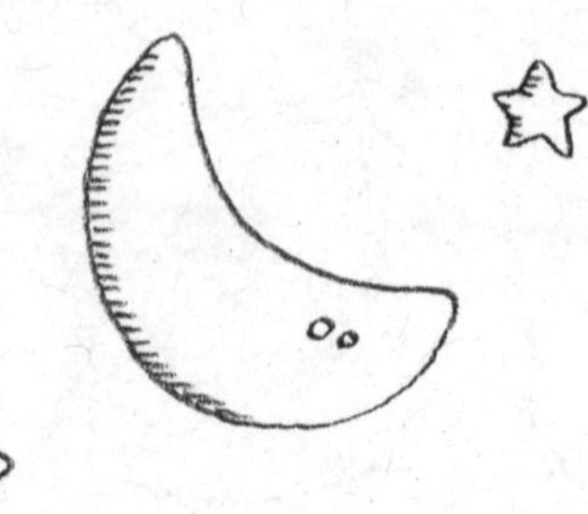

De
15
à
18
mois

Les trésors

• Il y a une foule de trésors à découvrir à l'extérieur de la maison. Prenez un panier et partez en exploration avec votre enfant.

• Lorsque vous trouvez des choses, mettez-les dans votre panier aux trésors. Les cailloux, les graines, les brindilles, les feuilles, les fleurs, les coquillages ne sont que quelques-uns des trésors que vous découvrirez durant votre promenade.

• Après avoir recueilli plusieurs trésors, sortez-les du panier et décrivez-les à tour de rôle.

• Demandez à votre bambin de remettre un des objets dans le panier. Voyez s'il se souvient du nom de l'objet.

• Portez une attention particulière aux objets qui semblent l'intéresser davantage. Cela vous procurera des idées pour des activités subséquentes.

* * *

Cette activité favorise :

La découverte de la nature

De
15
à
18
mois

L'arrosage

• Percez des trous à la base d'une grande bouteille de plastique.

• Allez dehors avec votre tout-petit et parlez-lui du gazon, des fleurs et de tout ce que contient votre jardin.

• Remplissez la bouteille d'eau et montrez-lui comment s'en servir pour arroser.

• Dites-lui d'arroser le gazon, le trottoir, les fleurs, etc. Chaque fois qu'il comprend et exécute vos directives, félicitez-le.

* * *

Cette activité favorise :
La coordination main-œil

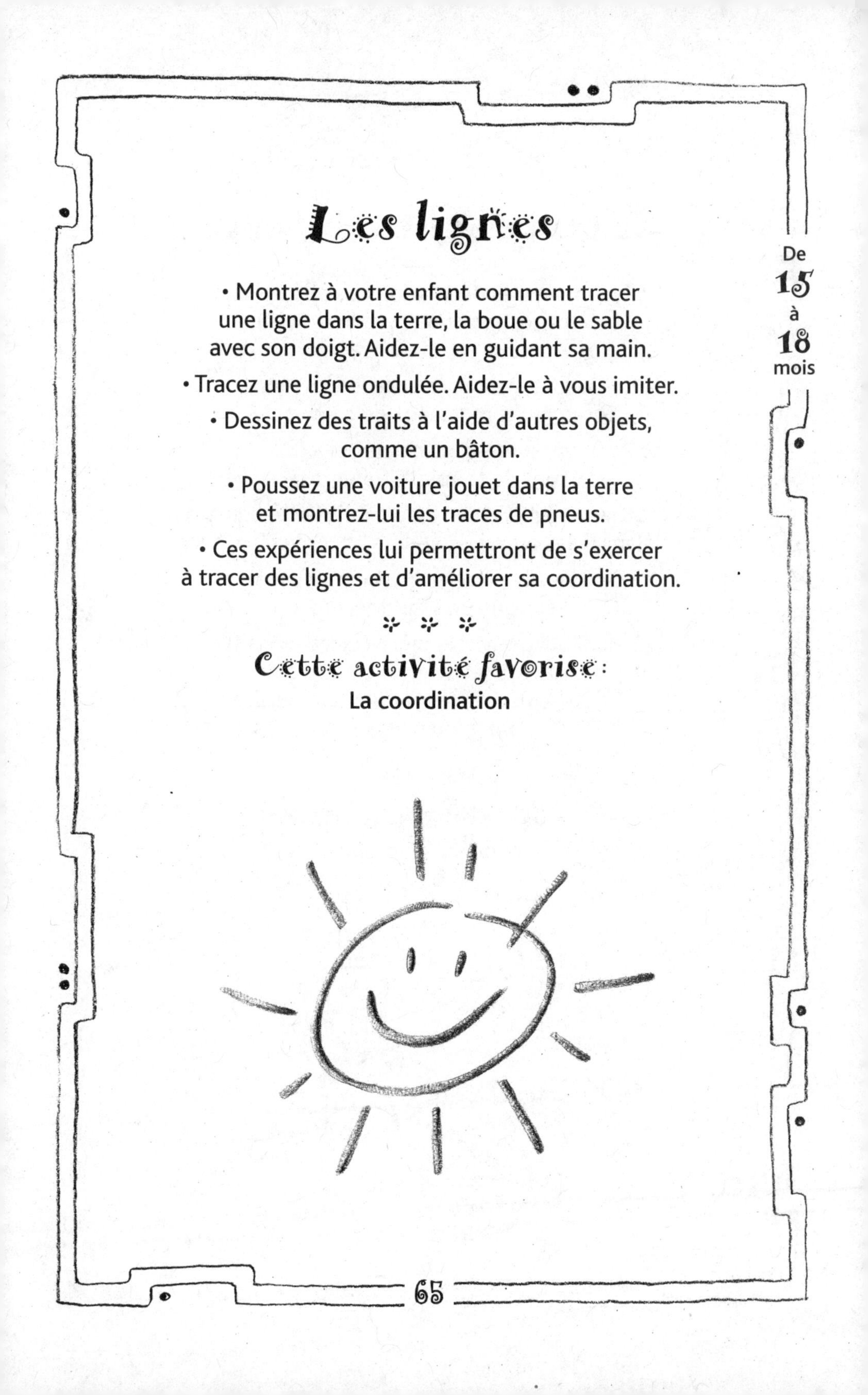

Les lignes

• Montrez à votre enfant comment tracer une ligne dans la terre, la boue ou le sable avec son doigt. Aidez-le en guidant sa main.

• Tracez une ligne ondulée. Aidez-le à vous imiter.

• Dessinez des traits à l'aide d'autres objets, comme un bâton.

• Poussez une voiture jouet dans la terre et montrez-lui les traces de pneus.

• Ces expériences lui permettront de s'exercer à tracer des lignes et d'améliorer sa coordination.

* * *

Cette activité favorise :
La coordination

Casse-tête de fête

De
18
à
21
mois

• Collectionnez les décorations de fête en carton (valentins, personnages d'Halloween, gâteaux d'anniversaire).

• Coupez chaque décoration en deux, comme des morceaux de casse-tête.

• Assurez-vous que les pièces sont de formes différentes.

• Donnez une pièce de casse-tête à votre bambin. Mélangez les autres et étalez-les sur le plancher.

• Décrivez la pièce qu'il a entre les mains sa couleur, sa forme, etc.

• Aidez-le à trouver la pièce correspondante. Continuez le jeu avec une autre pièce. Aidez-le jusqu'à ce qu'il soit en mesure d'y jouer seul.

Cette activité favorise :

La résolution de problèmes

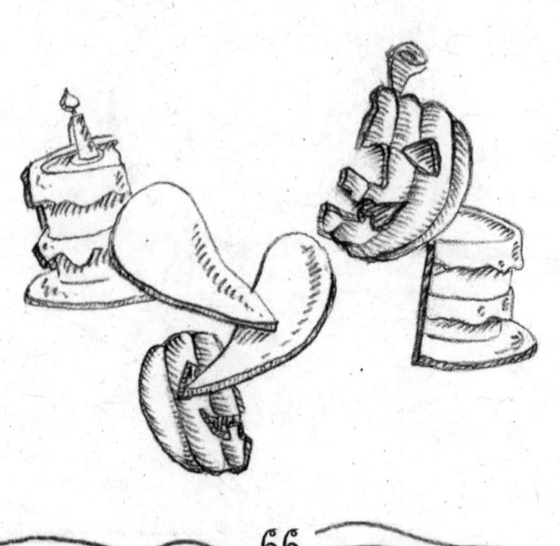

De 18 à 21 mois

Les raisins secs

En plus d'être nutritifs, les raisins secs sont tout indiqués pour améliorer la motricité fine.

- Remplissez un petit bol de plastique avec des raisins secs.
- À côté du bol, placez un contenant de plastique pourvu d'un couvercle. Assurez-vous que votre enfant est capable d'enlever le couvercle facilement.
- Demandez-lui de mettre un raisin dans le contenant. Il devra d'abord retirer le couvercle.
- Une fois qu'il a transféré tous les raisins dans le contenant, il peut vider ce dernier dans le bol, puis recommencer.
- Les jeunes enfants peuvent s'adonner à cette activité durant de longues périodes.

Cette activité favorise :

La motricité fine

De
18
à
21
mois

Le déballage

• Enveloppez une balle ou un jouet dans du papier aux couleurs vives.

• Montrez le jouet emballé à votre enfant en lui demandant « Qu'est-ce que c'est ? »

• Donnez-lui le paquet pour qu'il le déballe.

• Cette tâche présente des difficultés pour les tout-petits, et votre enfant sera captivé par les efforts qu'il devra fournir. Le bruit du papier l'intéressera peut-être davantage que l'objet lui-même.

• Rassemblez différents types de papier (de soie, d'aluminium, d'emballage).

• Reprenez le jouet déballé et enveloppez-le dans une autre sorte de papier sous les yeux de votre bambin.

• Laissez-le déballer ce nouveau paquet. Continuez jusqu'à ce qu'il se lasse du jeu.

* * *

Cette activité favorise :
La coordination

Les ustensiles

• Donnez à votre enfant trois objets identiques, comme des cuillères.

• Prenez chaque cuillère, nommez-la et faites mine de manger quelque chose.

• Laissez votre enfant prendre les cuillères et les palper pour sentir leur forme et leur texture.

• Remplacez une des cuillères par une fourchette. Demandez-lui de vous donner une cuillère. Demandez-en une autre.

• Prenez la fourchette et nommez-la. Faites semblant de vous en servir pour manger. Laissez votre enfant la tenir et sentir sa forme et sa texture.

• Posez deux cuillères et une fourchette sur la table. Demandez-lui de vous donner la fourchette. Félicitez-le s'il choisit le bon ustensile.

* * *

Cette activité favorise :

La découverte des similitudes et des différences

De 18 à 21 mois

La radio

Qu'est-ce que les tout-petits adorent faire ? Manipuler les boutons d'appareils comme la radio ou le téléviseur, bien sûr ! Une radio peut être une source d'amusement pour les bambins. De plus, elle les aide à améliorer leur capacité d'écoute.

• Montrez à votre enfant comment manipuler les boutons de la radio pour sélectionner différentes émissions.

• Proposez-lui ce jeu : il doit presser ou tourner le bouton jusqu'à ce que vous lui disiez d'arrêter. Dansez alors au son de la musique qui est diffusée par cette station.

* * *

Cette activité favorise :
Les capacités auditives

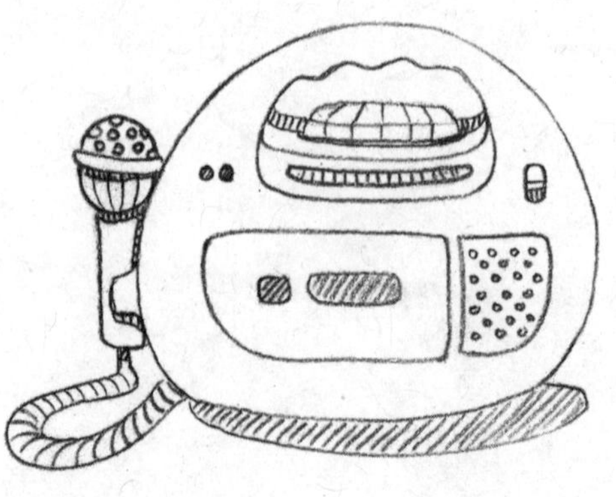

De 18 à 21 mois

Tape des mains !

Voici différentes façons de battre des mains en compagnie de votre bambin.

• Choisissez une chanson amusante. Chantez et ponctuez le rythme en tapant des mains.

• Asseyez-le sur vos genoux et placez ses paumes sur vos mains tournées vers le haut. Tout en chantant, tapez vos mains contre les siennes.

• Placez vos mains devant lui et applaudissez.

• Prenez ses mains et frappez-les ensemble.

• Prenez une de ses mains et tapez-la sur la vôtre.

***

Cette activité favorise :
La coordination

De
18
à
21
mois

Chuchotements

Les enfants de cet âge sont fascinés par les chuchotements. Ils sont très fiers d'eux-mêmes lorsqu'ils réussissent à parler ainsi. Les chuchotements et les murmures aident les enfants à apprendre comment moduler leur voix. Cela leur demande beaucoup de concentration.

- Chuchotez quelques mots à votre bambin. Par exemple « Veux-tu lire un livre ? »
- Demandez-lui de vous chuchoter quelque chose à son tour.
- Continuez de chuchoter jusqu'à ce qu'il comprenne comment abaisser sa voix.

* * *

Cette activité favorise :

La reconnaissance des sons

La peinture

De 18 à 21 mois

• Donnez un pinceau et un seau d'eau à votre enfant lorsqu'il est à l'extérieur.

• Laissez-le peindre la maison avec cette eau.

• Il peut peindre le trottoir, le balcon, la boîte aux lettres, la voiture et tout ce qui peut être « peint » avec de l'eau.

* * *

Cette activité favorise :

La coordination main-œil

De
18
à
21
mois

Artiste en herbe

• Voici une activité à pratiquer dans le jardin. Remplissez un moule à gâteau de sable ou de sel.

• Proposez à votre enfant d'y tracer des dessins avec ses doigts. Lorsqu'il se lasse de ses dessins, secouez le moule pour les effacer.

• À une autre occasion, sortez un chevalet, du papier, de la peinture et des pinceaux à l'extérieur. Encouragez votre bambin à peindre. Une fois ses dessins terminés, suspendez-les pour les faire sécher.

Cette activité favorise :

La créativité

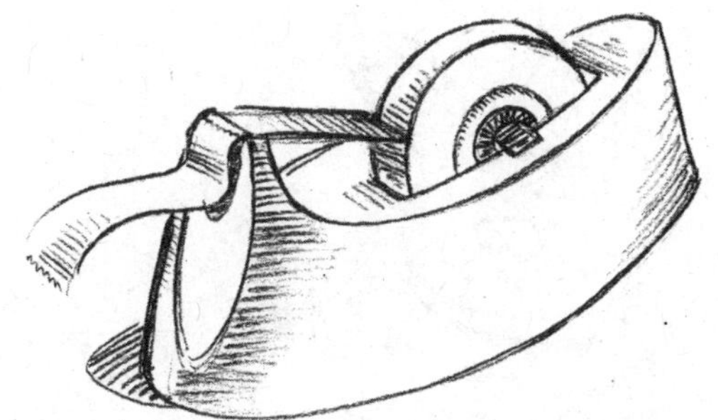

La balle collante

• Procurez-vous un rouleau de ruban adhésif à double face.

• Façonnez deux balles avec ce ruban. Donnez-en une à votre enfant.

• Montrez-lui que la balle adhère aux objets. Faites une démonstration en collant la balle sur différentes parties de votre corps.

• Prenez deux morceaux de papier de bricolage de couleur différente. Placez-les devant lui.

• Collez votre balle sur l'un des papiers en disant « La balle est sur le papier rouge. Peux-tu coller ta balle sur le papier rouge ? »

• Faites de même avec l'autre papier.

* * *

Cette activité favorise :
La reconnaissance des couleurs

De 18 à 21 mois

La boue magique

• Dans une bassine à vaisselle ou un bol incassable, mélangez une boîte de fécule de maïs et suffisamment d'eau pour obtenir une consistance de pâte à pain.

• Dites à votre enfant « Je vais faire de la magie. »

• Si vous pressez la pâte entre vos mains, elle formera une boule. Si vous la laissez reposer, elle se transformera en liquide.

• Amusez-vous à faire des expériences avec la boue magique !

* * *

Cette activité favorise :
Les facultés d'observation

Serpentins

Les serpentins de papier crêpé sont de merveilleux jouets pour les tout-petits. Couvrez leur extrémité de ruban-cache pour créer une « poignée » et ainsi éviter que le colorant ne déteigne sur les mains de l'enfant.

• Voici quelques façons de les utiliser à l'extérieur

- courez avec un serpentin à la main;
- faites-le tournoyer;
- maintenez-le près du sol et encouragez votre enfant à le franchir d'un bond;
- lors d'une journée venteuse, laissez-le simplement flotter dans la brise;
- attachez-en plusieurs aux branches d'un arbre pour que l'enfant puisse sauter et les toucher de la main.

* * *

Cette activité favorise :

La coordination

De
18
à
21
mois

Le catalogue

• Feuilletez un catalogue dont les illustrations représentent des sujets connus de votre enfant.

• À tour de rôle, choisissez des illustrations à imiter. Par exemple, si vous choisissez un chien, votre enfant devra faire semblant d'être un chien.

• Vous pouvez également coller des photos sur des cartons et en faire un jeu de cartes éclair.

* * *

Cette activité favorise :
Le développement du langage

Les autocollants

De
18
à
21
mois

Ce jeu aidera votre enfant à prendre conscience de son corps.

• Réunissez différents objets collants pansements, ruban adhésif, étiquettes, autocollants représentant des visages ou des animaux, etc.

• Donnez-en un à votre enfant et montrez-lui comment le coller sur son corps.

• Dites-lui de mettre le collant sur son ventre, puis de sortir et rentrer le ventre.

• Demandez-lui de le coller sur sa joue, puis de gonfler et creuser la joue.

• Voici quelques endroits où poser le collant

- sur des orteils qui gigotent;
- sur des coudes qui bougent de bas en haut;
- dans la main qu'on ouvre et qu'on referme.

Cette activité favorise :

La conscience du corps

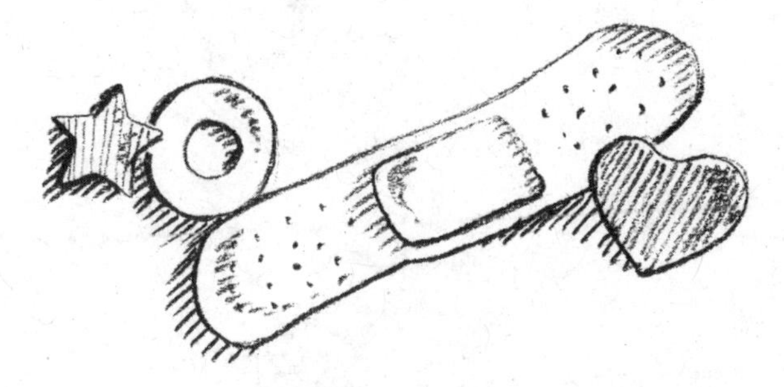

Comme moi

De 18 à 21 mois

Ce jeu d'imitation est très divertissant pour les enfants de cet âge.

- Accomplissez différentes actions en encourageant votre bambin à vous imiter. Par exemple, agitez les mains, remuez les doigts, tapez du pied, faites semblant de dormir, etc.
- Demandez-lui de faire un geste que vous imiterez. Au début, vous devrez lui faire des suggestions. Proposez-lui des mouvements faciles, comme faire au revoir avec la main ou applaudir.
- Adaptez ce jeu à des tâches comme le ratissage des feuilles, l'époussetage et le balayage.

* * *

Cette activité favorise :

L'imitation

Les peluches

• Demandez à votre tout-petit d'aller chercher un animal en peluche et de le poser sur le plancher à côté de lui.

• Asseyez-vous par terre et placez un animal en peluche devant vous.

• Demandez à votre bambin d'accomplir différentes actions avec sa peluche. S'il ne comprend pas, montrez-lui comment s'y prendre en faisant vous-même l'action.

• Voici quelques suggestions d'activités à effectuer avec une peluche

- soulever son bras;
- secouer sa jambe;
- faire hocher sa tête;
- bouger son coude;
- bouger son genou;
- lui faire un câlin.

* * *

Cette activité favorise :
L'écoute

De 18 à 21 mois

Tchou, tchou !

- Montrez des illustrations de trains à votre enfant. De nombreux livres traitent de ce sujet.
- Imitez les sons du train
  - tchou, tchou !
  - teuf-teuf
  - En voiture !
- Alignez quatre ou cinq chaises l'une derrière l'autre.
- Dites à votre enfant qu'il est le conducteur et asseyez-le sur la première chaise.
- Chantez des chansons qui parlent de train, comme celle-ci, sur l'air de *Joli feu*

Train, train, petit train
tu nous montres le chemin
Train, train, petit train
nous irons très loin !

- Vous pouvez aussi réciter cette comptine

Tchou, tchou, tchou !
Petit train va très loin.
Tchou, tchou, tchou !
Vos billets, s'il vous plaît.
Tchou, tchou, tchou !
C'est ma gare, au revoir !

* * *

Cette activité favorise :
La créativité

La lampe de poche

De 18 à 21 mois

• Promenez le faisceau d'une lampe de poche dans tous les coins de la pièce, comme le mur, la porte, le plancher, les meubles.

• Chaque fois que vous éclairez un objet, nommez-le « le mur », « la poignée de porte », etc.

• Montrez à votre enfant comment allumer et éteindre la lampe de poche.

• Laissez-le éclairer un objet et le nommer.

• Donnez-lui des directives « Éclaire le plafond », « Éclaire la fenêtre », etc. Il comprendra probablement le sens de vos mots, même s'il n'est pas en mesure de les prononcer lui-même.

• Regardez les images d'un livre ou d'un magazine avec la lampe de poche.

• Pour créer l'ombre d'un oiseau sur le mur, croisez les poignets l'un sur l'autre, vos paumes face à vous. Étendez les doigts pour imiter les ailes et joignez la partie charnue de vos pouces pour former la tête de l'oiseau.

• Agitez les mains pour faire « voler » l'oiseau.

* * *

Cette activité favorise :
Les capacités cognitives

De
18
à
21
mois

Tire, pousse

• Montrez à votre enfant comment pousser une petite voiture sur le plancher.

• Jouez aux petites voitures avec lui « Vroum, vroum ! L'auto s'en vient ! »

• Attachez une ficelle à la voiture et montrez-lui comment la tirer.

• Découpez un trou dans une boîte pour fabriquer un tunnel. Déposez la boîte sur le sol.

• Dites à votre bambin « La voiture va passer dans le tunnel. »

• Poussez la voiture à travers le tunnel.

• Demandez-lui de pousser la voiture, puis de la tirer.

• Montrez-lui comment pousser des objets (une balle, par exemple) à l'aide d'un tube de carton (rouleau de papier vide).

* * *

Cette activité favorise :

Les habiletés motrices

De 18 à 21 mois

Les casseroles

• Sortez des casseroles, des bols de plastique, des cuillères de bois et de métal, et tout objet pouvant servir d'instrument à percussion.

• Asseyez-vous par terre avec votre bambin et frappez sur les casseroles avec les cuillères. Frappez les chaudrons ensemble, les cuillères ensemble, etc.

• Donnez-lui une cuillère et une casserole, et dites-lui de vous imiter.

• Chantez ce qui suit, sur l'air de *Pomme de reinette*

Tape les casseroles, tape les cuillères

je fais de la musique !

Tape les casseroles, tape les cuillères

je fais beaucoup de bruit !

* * *

Cette activité favorise :
L'éveil musical

De
18
à
21
mois

Le rythme

• Asseyez-vous par terre avec votre bambin et prenez chacun un bâtonnet ou une cuillère de bois.

• Montrez-lui comment frapper doucement sur le sol.

• Frappez fort en disant le mot « fort ». Frappez doucement en disant le mot « doux ».

• Modifiez le tempo. Frappez le bâton lentement, puis rapidement, en disant les mots « vite » et « lent ».

• Une fois qu'il comprend la signification des mots et peut contrôler son bâton, demandez-lui de le frapper selon vos indications fort, vite, doux, lent.

• Variez les surfaces sur lesquelles vous frappez tapis, plancher, etc.

* * *

Cette activité favorise :

L'éveil musical

Le téléphone

De 18 à 21 mois

Comme vous le savez sûrement, les enfants de cet âge adorent le téléphone. Ils aiment imiter les conversations des adultes, jouer avec l'appareil et mâchouiller le fil.

• Laissez votre bambin écouter la tonalité.

• Appelez un membre de la famille ou un ami, et faites-lui entendre la voix de cette personne.

• Encouragez-le à dire au revoir.

• Composez des numéros où on entend un message enregistré, et faites-le écouter à l'enfant.

• Il vous épatera par les habiletés acquises grâce à cette activité.

* * *

Cette activité favorise :

Le développement du langage

De
18
à
21
mois

Les comptines

Les comptines, les chansons et les poèmes favorisent l'apprentissage de la lecture.

• Choisissez deux comptines et dites-les tous les jours à votre enfant durant une semaine.

• Après avoir répété ces comptines deux jours de suite, le troisième jour, arrêtez-vous à certains endroits pour voir s'il peut nommer le mot manquant.

• Vous pouvez aussi mimer la comptine, en dessiner les personnages et les objets, la réciter en modifiant votre voix.

• Après une semaine, reprenez l'exercice avec deux nouvelles comptines, en récitant d'abord les deux comptines de la semaine précédente.

• Les comptines vous procureront des heures de plaisir avec votre bambin, tout en stimulant ses capacités linguistiques.

• Voici quelques suggestions de comptines

Bateau, ciseau

Turlututu

Une poule sur un mur

Une souris verte

Un éléphant

Arlequin dans sa boutique

Une jeune fille

* * *

Cette activité favorise :

Le développement du langage

De
18
à
21
mois

Les vêtements

• Au moment d'habiller votre bambin, mettez ses vêtements en tas par terre.

• Demandez-lui de vous apporter un vêtement, par exemple la veste jaune.

• S'il vous l'apporte, félicitez-le en disant « Bravo ! Tu m'as apporté la veste jaune ! »

• S'il se trompe, dites-lui « Merci de m'avoir apporté le pantalon bleu. » Aidez-le à enfiler son pantalon, puis demandez-lui encore une fois d'apporter la veste jaune.

• Continuez ainsi pour tous les vêtements. Nommez chacun d'eux et sa couleur.

• Lorsqu'il peut suivre toutes vos consignes avec facilité, disposez les vêtements à divers endroits de la pièce. Demandez-lui « Apporte-moi la casquette rouge qui est sur le lit. »

• Ce jeu est excellent pour favoriser la confiance en soi.

Cette activité favorise :

La reconnaissance des couleurs

De 18 à 21 mois

Les photos

• Prenez des photographies de votre bambin à divers moments de la journée.

• Collez ces photos sur des fiches de carton, percez un trou dans chacune et reliez-les avec un anneau de métal pour former un livre.

• Regardez les photos avec lui en discutant des activités de la journée se vêtir, manger, jouer, aller dehors, prendre un bain, etc.

• Tout au long de la journée, montrez-lui les photos correspondant à chaque activité.

• Vous constaterez bientôt qu'il feuillette lui-même ce livre et observe les photos.

* * *

Cette activité favorise :

Le développement du langage

Le facteur

De 18 à 21 mois

- Au lieu de vous débarrasser des envois publicitaires, conservez-les pour stimuler la coordination et les compétences linguistiques de votre bambin.
- Il s'amusera à trier le courrier, admirer les photos et examiner la forme et la taille des enveloppes.
- Ouvrir les enveloppes est très divertissant pour les tout-petits. Si le vôtre en est incapable, ouvrez-les vous-même et laissez-le sortir le contenu.
- Les enveloppes sont remplies de trésors comme des photos, du papier de différentes textures et grandeurs. Tout cela lui permet de faire d'intéressantes découvertes.
- Faites semblant d'être le facteur. Dites-lui « Le courrier est arrivé. J'ai des lettres pour toi ! »
- Faites semblant de lire des lettres de grand-maman, d'oncle Louis ou d'autres membres de la famille.

* * *

Cette activité favorise :
Le développement du langage

De
18
à
21
mois

Le sable

Un bac ou une table à sable sont de merveilleux jouets pour les jeunes enfants. Ils peuvent acquérir de nombreuses habiletés en jouant dans le sable.

• Voici quelques activités pour le bac à sable
- remplir et vider des contenants;
- tracer des routes et y faire rouler des petites voitures;
- recouvrir ses pieds de sable;
- enterrer des jouets et les déterrer.

* * *

Cette activité favorise :
L'imagination

Les oiseaux

L'observation des oiseaux est une activité fascinante qu'on peut pratiquer avec un bambin.

- Fabriquez une mangeoire toute simple à l'aide d'une pomme de pin, sur laquelle vous étalez du beurre d'arachide avant de la rouler dans des graines pour les oiseaux.
- Suspendez cette mangeoire près d'une fenêtre d'où vous pourrez l'observer.
- Parlez à votre enfant des oiseaux et de ce qu'ils mangent.
- Une variété incroyable d'oiseaux viendront s'alimenter à votre mangeoire. Vous aurez une foule d'occasions de parler de couleurs, de tailles, de chants et de tout ce qui concerne les oiseaux.

* * *

Cette activité favorise :

Les facultés d'observation

De
18
à
21
mois

Arc-en-ciel

• On peut s'amuser de bien des façons
avec un boyau d'arrosage

- projetez l'eau dans un grand arc
sous lequel votre enfant passera en courant;

- dirigez le jet parallèlement au sol et
demandez-lui de le franchir d'un bond;

- élevez légèrement le jet et proposez-lui
de ramper dessous;

- remuez le boyau pour faire onduler le jet
comme un serpent;

- laissez votre bambin arroser les fleurs et le gazon;

- créez une flaque de boue;

- suspendez le boyau à une branche ou une balançoire,
et laissez l'eau ruisseler;

- dirigez le jet au-dessus de votre tête
et cherchez à voir un arc-en-ciel.

• N'hésitez pas à vous mouiller!
Laissez-le vous arroser à son tour!

* * *

Cette activité favorise:
Les facultés d'observation

Les pieds

De 18 à 21 mois

Voici un jeu agréable à pratiquer à l'extérieur lorsqu'il fait beau.

• Remplissez une bassine d'eau et ajoutez une petite quantité de savon liquide.

• Demandez à votre enfant d'enlever ses chaussures et ses chaussettes.

• Trempez la main dans l'eau savonneuse et massez son pied avec votre main mouillée.

• Tout en le massant, parlez des différentes parties de son pied : les orteils, la cheville, la plante, la peau.

• Essuyez bien son pied, puis faites la même chose avec l'autre pied.

Cette activité favorise :

La conscience du corps

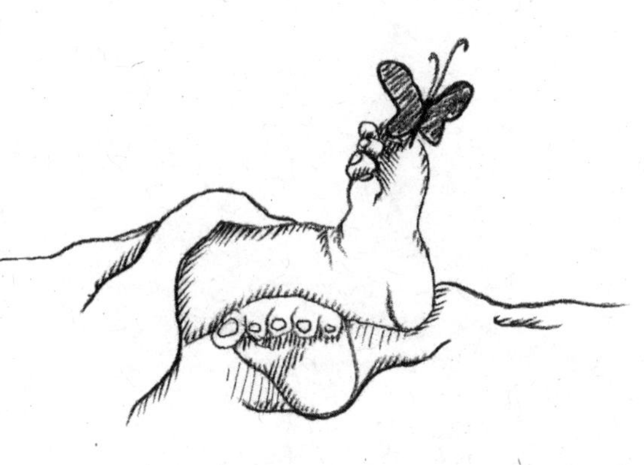

Lumière

Les bambins passent une bonne partie de chaque journée à acquérir de nouvelles habiletés qui leur permettent de devenir autonomes. Une activité qui les fascine est d'éteindre et d'allumer la lumière.

• Si vous avez une lampe qui s'allume en tirant une chaînette, allongez cette dernière pour que votre petit puisse l'atteindre. **Remarque :** Assurez-vous qu'il ne s'expose à aucun danger en tirant la chaînette.

• Imaginez son excitation et sa fierté lorsqu'il constatera qu'il peut allumer et éteindre la lumière tout seul !

* * *

Cette activité favorise :

L'indépendance

De 21 à 24 mois

Le rangement

Une bonne façon de rendre une tâche plus agréable est de l'effectuer en chantant.

• Quand votre bambin se désintéresse des jouets avec lesquels il joue, demandez-lui de vous aider à les ranger.

• Asseyez-vous près de lui et montrez-lui comment prendre un contenant et y déposer un jouet.

• Tendez-lui un jouet et dites-lui de le mettre dans le contenant.

• Remettez-lui un autre jouet et demandez-lui de le ranger.

• Tout en continuant à ranger les jouets, chantez une chanson qui plaît à votre enfant.

* * *

Cette activité favorise :
Le sens des responsabilités

De 21 à 24 mois

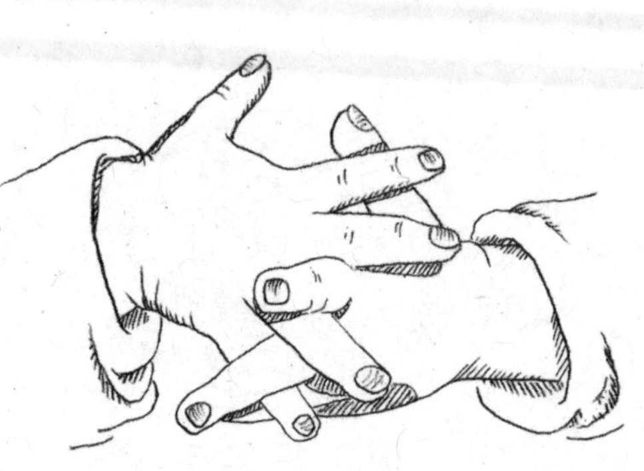

Petits pouces

- Récitez cette comptine en effectuant les gestes indiqués

Petits pouces ont peur du loup
(sortez vos deux pouces timidement de vos poings fermés)

Ils se promènent par ci
(pouces levés, bougez les poings vers la droite)

Ils se promènent par là
(pouces levés, bougez les poings vers la gauche)

Hou, hou ! Voici le loup !

Petits pouces, cachez-vous !
(repliez les pouces dans vos poings)

- Montrez à votre enfant comment faire lui-même ces mouvements.

* * *

Cette activité favorise :

La motricité fine

• Prenez quatre cubes de couleur différente et posez-les sur le plancher.

• En même temps, dites « Un pour maman, un pour papa, un pour minou et un pour toi. »

• Utilisez des noms de personnes ou d'animaux que votre enfant connaît.

• Récitez la comptine suivante en empilant les cubes

Quatre petits cubes

un, deux, trois, quatre !

Un pour maman, un pour papa

un pour minou et un pour toi !

• Lorsque vous les avez empilés, répétez le poème en demandant à votre enfant de retirer les cubes un à un.

* * *

Cette activité favorise :

La reconnaissance des nombres et des couleurs

De 21 à 24 mois

Collage

• Rassemblez divers éléments pouvant servir à un collage papier, envois publicitaires, cartes de souhaits, retailles de styromousse, ficelle, laine, papier d'emballage, etc.
Remarque : Surveillez bien votre enfant, car il est encore à l'âge de mettre des objets dans sa bouche.

• Étalez une grande feuille de papier épais ou de carton sur la table et munissez-vous d'un bâton de colle.

• Appliquez un peu de colle sur un objet à la fois, que vous donnerez à votre bambin pour qu'il le place sur le papier.

• Il peut aussi choisir les objets à coller.

• Vous pouvez le laisser appliquer la colle en le surveillant bien.

• Exposez le collage terminé à un endroit où tout le monde pourra l'admirer.

* * *

Cette activité favorise :

La créativité

Le tableau

Cette activité exige quelques efforts de votre part, mais vous constaterez que cela en vaut la peine en voyant le plaisir de votre enfant.

• Fabriquez un tableau collant en étalant un papier adhésif transparent sur du carton épais de la taille d'un napperon.

• Retirez le papier protecteur à l'endos du papier adhésif, en gardant la partie collante vers le haut.

• À l'aide d'autre papier adhésif, fixez le papier au carton, puis ajoutez un cadre tout autour.

• Prenez des photos que vous aurez découpées dans des magazines, et demandez à votre enfant de les coller dans le cadre.

• Choisissez des photos correspondant à la saison en cours. Par exemple, vous pourriez choisir un thème automnal, avec des photos d'écureuils, de pommes et de feuilles rouges.

• Votre bambin voudra pratiquer cette activité à maintes reprises.

* * *

Cette activité favorise :

La motricité fine

De
21
à
24
mois

La pâte à modeler

• Voici quelques activités à pratiquer avec de la pâte à modeler

- aidez votre enfant à façonner des boules et des serpents;
- parlez-lui des couleurs de la pâte à modeler et mélangez-les;
- créez des formes tels des cercles, des triangles et des carrés;
- formez des lettres;
- aplatissez la pâte à modeler avec un rouleau à pâtisserie;
- créez des motifs sur la surface à l'aide de cubes, de jouets, d'un peigne, de cailloux;
- découpez-la avec des emporte-pièces.

* * *

Cette activité favorise :
La créativité

Carte de vœux

De
21
à
24
mois

• Les bambins adorent les autocollants !
Fabriquez une carte de vœux pour un ami,
des grands-parents, vous-même, etc.

• Choisissez des gommettes de forme similaire.
Les figures géométriques aident les enfants
à découvrir les formes.

• Inscrivez une phrase simple sur une feuille
de 21 X 28 cm. Par exemple « Cher papi, je t'aime. »

• Expliquez à votre bambin ce que signifient ces mots,
puis laissez-le décorer la feuille à l'aide d'autocollants.
Vous devrez peut-être lui montrer comment décoller
les gommettes et les apposer sur la feuille.

• Lorsque la carte est terminée,
postez-la à son destinataire.

* * *

Cette activité favorise :
La socialisation

Les sons

De 21 à 24 mois

• Remplissez des petites bouteilles de plastique avec des objets qui produisent des sons variés : pièces de monnaie, boutons, ouate, grains de maïs, sable, etc. **Remarque :** Assurez-vous que l'enfant ne peut pas enlever les couvercles.

• Montrez à votre bambin comment secouer les boîtes. Laissez-le écouter les bruits qu'elles produisent.

• Choisissez une boîte bruyante et une au son plus faible. Secouez la première en disant « fort ». Secouez la seconde en disant « doux ».

• Demandez-lui de secouer la plus sonore, puis celle au son léger.

• En tenant les boîtes dans ses mains, il s'apercevra que l'une est lourde et l'autre plus légère. Bien qu'il soit trop jeune pour comprendre ce concept, il peut percevoir la différence de poids.

* * *

Cette activité favorise :

Les capacités auditives

De 21 à 24 mois

Le réveil

- Présentez un réveille-matin mécanique à votre enfant.
- Montrez-lui comment fonctionne le remontoir à l'arrière. Vous pouvez également utiliser un animal en peluche muni d'un remontoir.
- Faites-lui entendre le tic-tac de l'horloge.
- Imitez le son en disant « tic-tac ».

* * *

Cette activité favorise :
La coordination

Les instruments

• Créez de simples instruments de percussion qui enchanteront votre tout-petit et rendront les chansons encore plus amusantes.

• Vous pouvez fabriquer un tambour à partir d'une boîte ronde. Recouvrez l'ouverture d'une feuille de plastique adhésive. Ajoutez un élastique autour de l'ouverture pour consolider le tout. Plus la boîte est petite, plus le son sera élevé, et vice-versa.

• Fabriquez des maracas en plaçant des cailloux, des perles ou des boutons dans des boîtes à pellicule photo. Fermez bien les couvercles.

• Lorsque vous chantez ensemble, accompagnez-vous de vos instruments.

* * *

Cette activité favorise :
L'apprentissage du rythme

La musique

Les bambins aiment bien écouter leur propre musique. Un grand nombre d'appareils sont très faciles à utiliser.

- Inventez une histoire où apparaît le nom de votre enfant. Enregistrez-la pour qu'il puisse la réécouter à maintes reprises.
- Écouter la voix d'un parent calme les tout-petits.
- Sélectionnez quelques morceaux à son intention musique classique, comptines, chansons populaires, etc.

* * *

Cette activité favorise :

Les capacités auditives

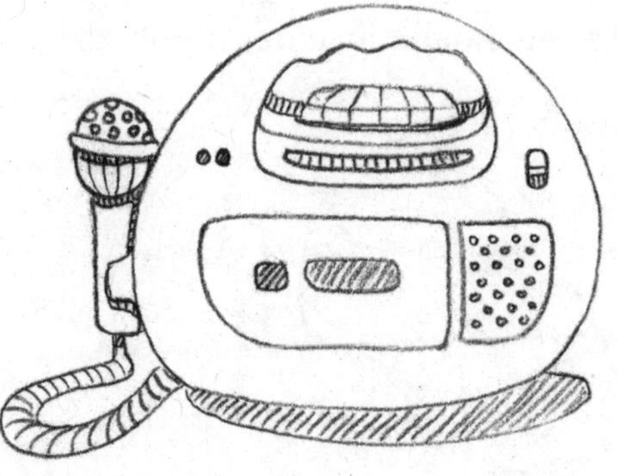

De 21 à 24 mois

Deux

Les enfants de cet âge ne sont pas prêts à compter ni à reconnaître les nombres, mais peuvent comprendre la notion du nombre deux.

• Aidez votre petit à découvrir ce concept en désignant plusieurs objets qui forment une paire

- deux chaussures;
- deux chaussettes;
- deux mains;
- deux pieds;
- deux oreilles.

• Dans vos conversations quotidiennes, utilisez le chiffre deux aussi souvent que possible. Par exemple « Regarde ces deux fleurs. »

• Donnez-lui deux objets à la fois « Voici deux cuillères », « Voici deux jouets. »

* * *

Cette activité favorise :

La reconnaissance des nombres

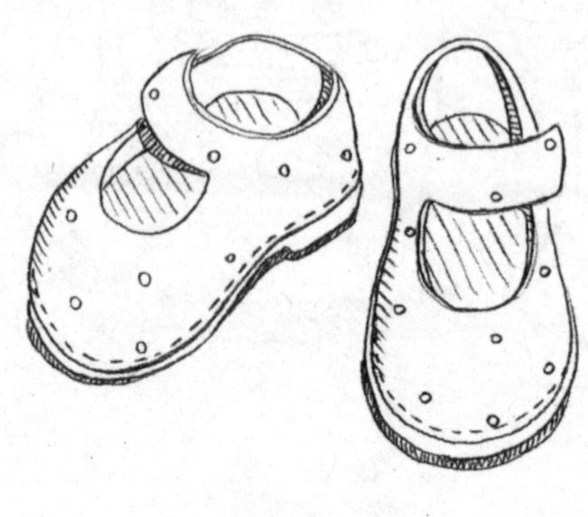

Le choix

Les bambins aiment choisir entre deux objets. Cela leur donne un sentiment de pouvoir.

• Asseyez-vous par terre, face à votre enfant.

• Placez deux jouets devant lui.

• Prenez l'un des jouets et décrivez-le. Parlez de sa couleur, de sa taille, de ce qu'il peut faire, et de tout détail important aux yeux de votre petit.

• Prenez le deuxième jouet et décrivez-le de la même façon.

• Demandez-lui de choisir l'un des jouets et de vous le donner.

• Félicitez-le pour son choix.

• Demandez-lui de mettre le jouet à un autre endroit. Donnez-lui le choix entre la table et la chaise, par exemple.

* * *

Cette activité favorise :
Les capacités cognitives

De
21
à
24
mois

Le cercle bleu

- Découpez des cercles de deux couleurs. Commencez par le bleu, le jaune ou le rouge.
- Étalez les cercles sur une table devant votre enfant.
- Prenez un cercle bleu et placez-le devant vous.
- En le déplaçant, dites « Un cercle bleu. »
- Prenez un autre cercle bleu et nommez-le.
- Désignez les deux cercles en disant « Un, deux, il y en a deux. »
- Après quelques répétitions, demandez-lui s'il sait où est le cercle bleu.
- À une autre occasion, reprenez ce jeu avec des triangles ou des carrés.

* * *

Cette activité favorise :
La reconnaissance des formes

De 21 à 24 mois

Pois et rayures

• Trouvez des vêtements ou des retailles de tissu à pois et à rayures.

• Montrez les pois à votre bambin. Touchez-les, comptez-les, tracez leur contour du bout du doigt. Laissez-le se familiariser avec cette forme et ce nom.

• Faites la même chose avec les rayures.

• Dessinez des pois et des rayures sur du papier, et demandez-lui de vous montrer chaque motif quand vous le nommez.

• Promenez-vous dans la maison en cherchant des pois et des rayures. Vous en trouverez sur les murs, les coussins, les boîtes de conserve.

• Feuilletez un livre sur les animaux. Trouvez des animaux à la robe tachetée ou rayée.

* * *

Cette activité favorise :

Les facultés d'observation

De 21 à 24 mois

Les sens

Votre enfant adore explorer. Encouragez-le en prenant sa main pour lui faire toucher divers objets. Les tissus de coton, de soie, de laine et de velours côtelé procurent toute une variété de sensations tactiles.

- Aidez-le à comparer ces sensations en disant « Ce tissu est soyeux et celui-ci est rugueux. »
- La nature regorge d'odeurs (fleurs, gazon, feuilles), de feuilles craquantes au toucher et d'herbe tendre où marcher.
- La cuisine est remplie de goûts intéressants sucré, salé, aigre, épicé, etc.

* * *

Cette activité favorise :

La stimulation sensorielle

De 21 à 24 mois

Un, deux, trois, tourne !

• Découpez dans des magazines des photos qui représentent des sujets familiers animaux, gens, jouets, etc.

• Trouvez un plateau tournant ou un objet similaire.

• Placez les photos sur le plateau (vous devrez peut-être les coller) et faites-le tourner.

• Pendant qu'il tourne, dites « Un, deux, trois, tourne ! »

• Quand il s'arrête, montrez du doigt la photo qui se trouve devant votre enfant et décrivez-la.

• Continuez le jeu. Si la même photo s'arrête de nouveau devant lui, parlez-en encore une fois.

• Laissez-le faire tourner le plateau.

• Ce type d'interaction contribuera à accroître son vocabulaire et à créer des liens positifs entre vous.

* * *

Cette activité favorise :
Le développement du langage

De 21 à 24 mois

Et ensuite ?

• Choisissez une histoire que votre enfant aime se faire raconter.

• En lisant le livre, mentionnez ce qu'il y a sur la page suivante, avant même de la tourner.

• Tournez la page et montrez-lui l'image annoncée. Par exemple « Voici le petit garçon qui s'est endormi dans la botte de foin. »

• Chaque fois que vous tournez une page, créez de l'anticipation en parlant de ce qui s'en vient. Ce sera bientôt lui qui vous dira ce qu'il y a sur la prochaine page.

• Laissez-le tourner les pages. Il s'agit d'un excellent exercice de motricité fine.

* * *

Cette activité favorise :

La mémoire

Livre coucou

De 21 à 24 mois

• Procurez-vous un carnet à spirale qui s'ouvre comme un livre (12 X 20 cm environ).

• Collez-y, toutes les deux feuilles, sur la page de droite, des photos d'objets ou de personnes familières .

• Découpez les feuilles dépourvues de photos en larges lanières horizontales, en commençant à la bordure extérieure et en arrêtant à moins de 5 cm de la spirale.

• Cela permettra à votre bambin de couvrir partiellement la photo avec les lanières. Feuilletez le carnet avec lui. Tournez une lanière à la fois pour révéler graduellement la photo. Demandez-lui de deviner ce qu'elle représente.

* * *

Cette activité favorise :
Les capacités cognitives

De
21
à
24
mois

Ourson au volant

• Proposez à votre tout-petit de « conduire la voiture ». Montrez-lui comment bouger les bras pour faire tourner un volant imaginaire.

• Promenez-vous dans la pièce en faisant semblant de conduire une voiture.

• Une fois qu'il peut vous imiter, demandez-lui de faire conduire son ourson.

• Montrez-lui comment faire bouger les pattes de l'ourson.

• En conduisant la voiture à travers la pièce, émettez des bruits de moteur, appuyez sur le klaxon, enfoncez la pédale de frein, etc.

* * *

Cette activité favorise :

L'imagination

De 21 à 24 mois

Téléphone cellulaire

Les téléphones portables sont devenus si populaires qu'il est tout naturel d'avoir un téléphone jouet dans la voiture.

• Proposez à votre bambin de téléphoner à quelqu'un lorsqu'il est assis dans son siège d'auto.

• Dites-lui chez qui vous allez et demandez-lui d'appeler cette personne « Appelle mamie et dis-lui qu'on arrive bientôt. » Suggérez-lui quoi dire « Allô, mamie ? On sera là dans cinq minutes ! »

• Que vous alliez au supermarché, au parc ou chercher un enfant à l'école, vous pouvez faire semblant de téléphoner de la voiture.

• Après quelques essais, il inventera ses propres conversations.

* * *

Cette activité favorise :
Le développement du langage

De
21
à
24
mois

Le télescope

• Utilisez un tube de carton (rouleau de papier vide) en guise de « télescope ».

• Montrez à votre enfant comment regarder dans le tube.

• Demandez-lui de trouver un objet. Par exemple :

« Vois-tu quelque chose qui est rouge ? »
« Vois-tu quelque chose qui est gros ? »

* * *

Cette activité favorise :

Les facultés d'observation

Les amis

• Invitez un ami à jouer avec votre bambin.
Il peut s'agir d'un autre enfant ou même d'un adulte.

• Photographiez-le avec son ami.

• Montrez-lui ensuite les photos, décrivez-les et parlez des activités que font les amis.
Par exemple :

- les amis jouent ensemble;
- ils partagent leurs jouets;
- ils rient ensemble;
- ils se font des câlins.

⁂

Cette activité favorise :
La socialisation

Déshabillage

Les enfants de cet âge peuvent avoir du mal à enlever eux-mêmes leurs chaussures, chaussettes, pantalon, etc.

• Vous pouvez aider votre petit de différentes manières.

• Si ses souliers ont des lacets, dénouez-les et desserrez-les, puis dégagez le talon. Cela lui permettra de continuer seul.

• S'il porte une veste, enlevez une manche et montrez-lui comment enlever l'autre.

• Faites glisser ses chaussettes sur ses talons pour qu'il puisse les retirer lui-même.

• Il prendra de l'assurance en voyant qu'il peut se dévêtir.

* * *

Cette activité favorise :

La confiance en soi

De 21 à 24 mois

La marche

Une fois que votre bambin a appris à marcher, vous pouvez lui suggérer différentes activités pour accroître sa coordination.

• Montrez-lui à marcher de côté, à reculons, en levant les genoux comme un cheval, etc.

• Marchez sur la pointe des pieds, au pas, en traînant les pieds.

• Tendez les bras devant vous et joignez les mains. Faites-les osciller de gauche à droite, et marchez d'un pas pesant en balançant votre « trompe d'éléphant ».

• Marchez lentement, puis rapidement.

• Encouragez-le à sauter, gambader, courir.

• Marchez en parlant d'une voix grave, aiguë, enfantine, etc.

* * *

Cette activité favorise :
La coordination

De
21
à
24
mois

La course

Les tout-petits adorent courir. Ce jeu leur donne l'occasion de se dégourdir les jambes tout en améliorant leurs compétences linguistiques.

• Marchez dans le jardin avec votre enfant. Nouez des rubans colorés à deux ou trois endroits (arbre, porte, balançoire).

• Dites-lui « Je vais courir jusqu'à l'arbre. » Courez vers l'arbre en tenant sa main. Courez dans d'autres directions, en le prévenant chaque fois de votre destination.

• Demandez-lui ensuite de courir jusqu'à l'arbre, jusqu'à la porte, etc. Il adorera ce jeu, surtout si vous le félicitez chaque fois qu'il atteint le but désigné.

* * *

Cette activité favorise :
La motricité

Les sauts

Ce jeu divertissant exige force, équilibre, coordination et agilité.

• Trouvez une boîte de carton suffisamment solide pour supporter le poids de votre enfant. Posez-le sur la boîte et prenez ses mains.

• Dites « Un, deux, trois, saute ! », puis aidez-le à sauter de la boîte. Vos mains devraient se trouver à la hauteur de ses épaules, afin qu'il puisse atterrir de tout son poids.

• Il voudra recommencer maintes et maintes fois.

* * *

Cette activité favorise :
La coordination

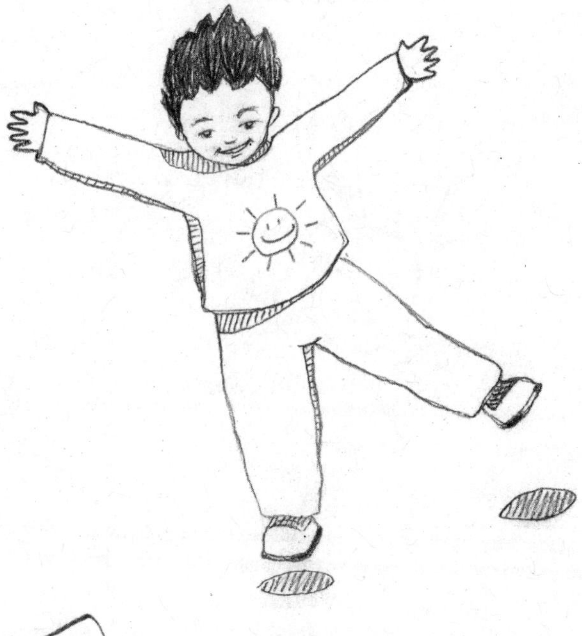

Le printemps

Voici un jeu amusant lorsque vous êtes à l'extérieur, par une belle journée de printemps.

- Choisissez deux ou trois mouvements à exécuter avec votre tout-petit, comme marcher, courir et sautiller.
- Dites-lui que vous allez marcher jusqu'à l'arbre. Prenez sa main et joignez le geste à la parole.
- Dites-lui ensuite que vous allez courir jusqu'à la porte. Prenez sa main et commencez à courir.
- Continuez à sautiller, courir et marcher jusqu'à des buts fixés à l'avance.

* * *

Cette activité favorise :
La coordination

Hop Hop Petit lapin !!!

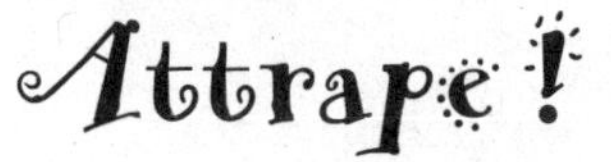

Attrape !

Un ballon de plage légèrement dégonflé convient très bien aux tout-petits, car il est plus facile à attraper.

- Jouez avec votre enfant et un autre adulte. Ce dernier se place à environ un mètre de l'enfant et lui lance le ballon.
- Placez-vous derrière votre enfant et guidez ses mains pour attraper et lancer le ballon.
- Montrez-lui comment arrondir les bras devant lui pour l'attraper.
- Laissez-le tenter de l'attraper seul.

* * *

Cette activité favorise :
La coordination